ライバル対決
名旅客機列伝1

超大型四発機
ボーイング747

旅客機の常識を変えた！　ＶＳ　巨人機時代の栄光と終焉

エアバスＡ380

イカロス出版

巨人機が空を翔けた

時代 *an era of giant aircraft*

Boeing747

Airbus A380

四発機が放つ
圧倒的存在感

JA381A

Akira Fukazawa

消えることなき
巨人機の残像

Akira Fukazawa

CONTENTS

目次写真：深澤 明
表紙写真：umayadonooil RYO.A
裏表紙写真：A☆50／Akira Igarashi（上）
　　　　　　 深澤 明（下）

「巨人機」の功績と航跡

「巨人機」とも称される超大型四発旅客機。
1960年代末期にボーイング747が誕生して以降、まさに花形役者として大空の主役であり続けてきた。
747が築いた牙城を突き崩すべく、エアバスが開発した総二階建て機エアバスA380も旅客からの高い
評価と支持を得て人気機種となっている。
しかし、この両機種は相次いで製造が打ち切られ、後継機も存在しない。
1970年代以降の民間航空業界の発展とともに花開き、業界を取り巻く環境の変化の中で終焉を迎え
つつある「巨人機の時代」について考察する。

文=阿施光南

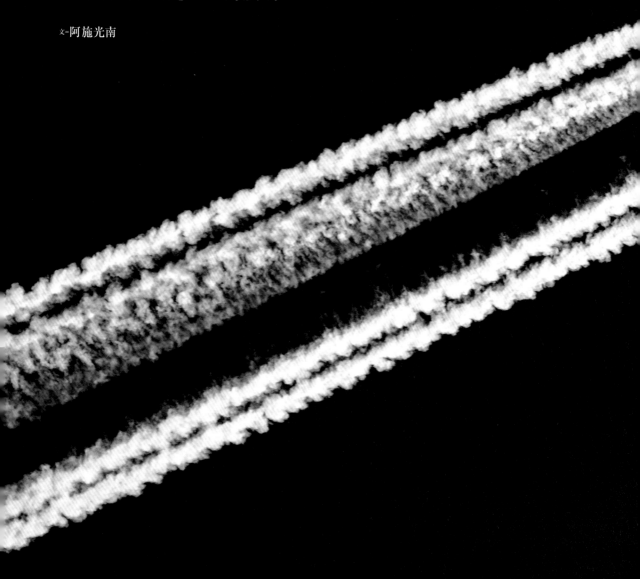

Airbus A380

Boeing747

Tokio Sato

史上最大の旅客機となったA380。航空機は、長さを2倍にすると、面積が4倍、体積が8倍になる「二乗三乗の法則」というものがあり、超大型機の開発が難しい理由の一つとなっている。

巨人機開発を難しくする「二乗三乗の法則」とは

その時代において、並外れた大きさをもつ飛行機を巨人機という。大きな飛行機は理屈抜きに人々を感動させるが、巨人機のほとんどは失敗に終わっている。巨人機は、ただ「大きい」というだけでもむずかしいのだ。そうした中で半世紀以上にわたって生産され続け、その大半の期間で空の王者として君臨したボーイング747は稀有な成功例といえる。そしてエアバスA380は、そんな747に挑み、より大きく高性能を実現したものの、ついに商業的な成功をおさめることができなかった。これも巨人機のむずかしさである。

巨人機が失敗しやすい理由には、まず二乗三乗の法則が挙げられる。これは長さを2倍にすると、面積はその二乗である4倍になり、体積はその三乗の8倍になるというものだ。中がびっしりと詰まっているならば、体積は重さと言い換えてもよい。実際には飛行機の内部はほとんど空洞なので重さが三乗になることはないが、そこにはたくさんの人や物を積むのだから（積めなくては大きな飛行機を作る意味がない）、やはり相応に重くなる。

だからもし性能のいい飛行機があったとしても、それを拡大するだけではいい飛行機は作れない。長さを2倍にすれば翼面積は二乗の4倍になるが、重さは三乗の8倍になってしまい、まともに飛ぶこともできないだろう。ならばと翼を大きくすることもできるが、そんな翼もやはり二乗三乗の法則によってさらに重くなるという悪循環。さらに機体だけでなくエンジンにも二乗三乗の法則は影響するから、重さの割には小さな推力しか得られない。失敗した巨人機には、このように鈍重でパワー不足だったものが多い。

巨人機実現に大きく貢献した高性能ターボファンエンジン

もちろん747も、大型機なりの重量増加には苦しんだ。747の基本形は707を踏襲し

ているが、最大離陸重量に対する運用自重の割合は707よりも大きくなっている。つまり、それだけ燃料や乗客、貨物などを乗せられる割合が小さくなっている。にも関わらず747が成功できたのは、従来よりも画期的に効率のよいジェットエンジン、すなわち高バイパス比ターボファンを装備できたからだ。

ターボファンは初期のターボジェットのように吸い込んだ空気をすべて燃やすのではなく、一部はファンで加速するだけで後方に吹き出す。燃やす空気と燃やさずに加速するだけの空気の割合をバイパス比といい、一般にはこの数字が大きいほど効率はよくなる。747以前の小型機が装備していた代表的なターボファンJT8Dはバイパス比が1程度だったが、747が装備したJT9Dでは5を超えて大幅に効率がよくなった。だから747は座席当たりの燃料消費量を小型機よりも少なくできたのである。

大きな賭けとなった747の開発
結果的にライバル不在で独走に

もうひとつの747の成功の理由は、ライバルがいなかったということだ。大型機の開発はそれ自体がむずかしく莫大な費用がかかる。さらに従来の工場では小さすぎるためにボーイングは新たな工場も建設しなくてはならなかったが、これもまた大変な金額である。そこまでして作る747は「大きすぎる」と言われ、本当に売れるのかどうかも不透明だった。そこでライバルメーカーはより小さな三発や双発のワイドボディ旅客機を作ったし、実際に747就航直後には世界を石油ショックが襲って航空需要は低迷。747を購入した航空会社は、その巨体を持てあますことになる。

ところが景気が回復して航空需要が上向いてからは、ライバルのいない747は大型

JALの747クラシックが装備していたJT9Dエンジン。747が成功作となった理由の一つに高バイパス比ターボファンエンジンの登場が挙げられる。

機市場を独占できた。航空需要の増加に空港機能が追いつかないのだから、1便あたりで運べる座席数を増やすしかない。そして747にはライバルとなる旅客機がなかったのだから、他に選択肢はない。遅ればせながら他メーカーが対抗しようにも、大型機開発のリスクが大きいことに変わりはないし、完成できたとしても量産が進んでいた747よりはずっと高価な旅客機になってしまうだろう。よほど優れた点がなければ勝ち目はないが、747も次々に改良型を出していたからおいそれとは追い抜けない。747の欠点は、石油ショック以前に燃料を湯水のように使えた1960年代の技術と発想（たとえば経済性よりも速度を重視）で作られていたということだが、1980年代にはデジタル技術によって2名運航を可能としたうえで、燃費を大幅に改善した747-400も作られた。他メーカー

ライバル不在で超大型機市場を独占した747。今や希少な超大型四発機だが、つい15年ほど前まで羽田や成田といった大空港ではありふれた旅客機だった。

総二階建てのキャビンに最大で800席以上を設置可能なA380だが、導入した航空会社はファーストやビジネスといった上級クラスを多めに設定した500席前後の客室仕様を採用している。

実績と自信もあった。もちろん開発には大きな苦労はあったが、完成したA380は大きさや性能、経済性、そして快適性などあらゆる面で747を凌駕する旅客機になった。

最大座席数は800席を超えるが、ほとんどの航空会社は500席前後のゆったりとした仕様として、その優雅な空の旅をアピールした。経済性も高く、座席あたりの運航コストは747-400より20%以上も低かった。もちろん座席あたりの運航コストは満席が前提の数字だから、座席が埋まらなければ絵に描いた餅にすぎない。ところがA380は乗客からも人気があり、高いロードファクター（搭乗率）も記録したのである。

がこれを上まわる旅客機を新規開発するのはさらに困難になり、747はさらに売上げを伸ばすことになった。

王者747に挑んだエアバス
旅客から好評を得たA380

それでもあえて巨人機の開発に挑戦したのがエアバスだ。747-400は確かに優れた旅客機だが、基本設計は古い。そしてエアバスには、同じように市場を独占していたボーイング737やダグラスDC-9の牙城を、新技術を駆使したA320で切り崩したという

たとえばカンタス航空はシドニー～ロサンゼルス線にA380を就航させたが、この同じ路線を747-400でも運航していた。その結果、A380の運航初年度においてA380便は747便よりもロードファクターが3～4%も高くなった。またこの路線でカンタスは競合他社と比べて高い運賃を設定していたが、それにも関わらずライバル社より高いロードファクターを記録した。シンガポール航空は成田線にA380を投入してからの1年間で総旅客数を約7%増加させたが、競合4社の旅客数はいずれも2～3%減少してしまった。またシンガポール航空は香港線にもA380を投入したが、それによって従来この路線でトップシェアを誇っていたキャセイパシフィック航空を逆転してしまったのである。

旅客から高い評価を得たA380。たとえばカンタス航空の場合、シドニー～ロサンゼルス線の搭乗率が747に比べて3～4%も上昇するなど、顕著な効果が見られた。

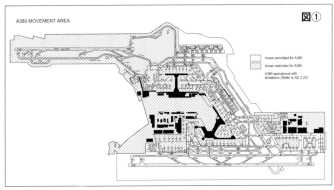

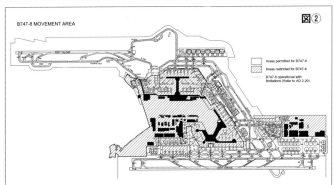

その巨体と重重量ゆえ、空港で利用できる滑走路、誘導路、スポットなどに制約があるA380。乗り入れできる空港も限られている。こうしたことがA380のセールスに悪影響を与える一因となった。

経済性重視の趨勢に抗えず
ついに四発機は製造を終了

　前記のような各社の好結果にも関わらず、A380の受注は伸び悩んだ。理由はさまざまだろうが、まずは大きすぎるということがある。747も同じく大きすぎると言われたが、長く王者として君臨することで、世界中の主要空港は747を基準に設計されるようになった。ところがさらに大きなA380は利用できる滑走路や誘導路、スポットが制限されることになってしまった。

　そして何よりも、さらに経済性の高い双発機の台頭が決定的といえた。A380の問題が大きすぎるというだけならば、より小型の747はまだまだ売れたはずだ。しかし実際には、ボーイングが開発した最新型の747-8はA380よりもさらに苦戦した。それまで片発時の飛行に大きな制約があった双発機が信頼性向上によって長距離路線も飛べるようになると、その圧倒的な経済性によって四発機を過去のものとしてしまったのである。かくしてエアバスは2021年でA380の生産を終了し、ボーイングも2022年で747の生産を終了した。

　A380ですら空港では巨体を持てあましたことを考えると、今後もこれ以上の大型旅客機が開発される可能性はきわめて低い。そ

成田空港でのA380の移動可能範囲（白い部分）を示したチャート（図①）。現状では離着陸はA滑走路しか認められておらず、地上走行できる誘導路や駐機スポットも限定されている。747としては史上最大の機体サイズとなった747-8にも制約は設けられているが、B滑走路が使用できるなど、A380よりは移動できる範囲が広い（図②）。

れは寂しいことだが、幸いにして現代ではまだこれらの旅客機に乗ることはできる。将来、「古き良き時代だった」と懐かしがられるかもしれないフライトを、今ならばまだ体験できるのである。

同じボーイングの新鋭機ながら、セールス面で苦戦して早々に製造が終了した747-8に対し、高効率双発機の787はオペレーターが増加し続けている。環境問題で逆風にさらされることも多い航空業界では、燃費性能の高い双発機へのシフトが一気に進んだ。

航空の常識を変えた巨人機のフロンティア

ジャンボが切り開いた地平

1960年代後半に開発されたボーイング747、通称「ジャンボジェット」。
当時はすでにジェット旅客機の時代に突入していたが、
その類まれな大量輸送能力によって空の旅を大衆化した功績は747にあるといっていいだろう。
ついに現れたライバルA380との対決は過熱する前に
超大型四発機の時代そのものが終焉へ向かうこととなってしまったが、
航空史に燦然と輝くボーイングと747の偉大な歩みは今後も決して色褪せることはないだろう。

文=内藤雷太　写真=ボーイング、ブリティッシュ・エアウェイズ、A☆50/Akira Igarashi

洋上クルーズでの雑談から
始まった巨人機の開発計画

ボーイング747という航空機を知らぬ人は少ない。747のモデル名にピンと来なくても「ジャンボジェット」と言えば、子供でも大きな丸いこぶ付きの巨体を思い出す。航空技術や社会、経済への影響からビジネスとしての成功度まで、この機体が歴史的名機であることに異論を挟む者はいないだろう。時代を変え、デビューから半世紀以上現役を続けるその秘密は何か。そこには当時のダイナミックな時代性といくつかの偶然、そしてチャンスを迷わず掴んで形にした設計者ジョー・サッター率いるボーイング開発チームの努力があった。

全ては1965年の夏、当時最大のエアラインだったパン・アメリカン航空の会長ファン・トリップと、彼の友人で時のボーイング社長ウィリアム・アレンが、ピュージェット湾で一緒にクルージングを楽しんだ時に始まった。クルーズの途中、「乗客数400人以上の大型長距離機があればすぐに欲しい。パンナムならそれを満席にできる」と自分の考えを話したトリップに「あなたが買うならボーイングでそれを作ろう」とアレンが返し「君がそれ

を作るならうちが買う」とトリップが約束したことで、747の歴史が始まったのである。

トリップは一代でパンナム帝国を築いたカリスマ実業家で、卓越した慧眼でボーイングが社運を賭けた707デモンストレーター、モデル367-80の資質を一目で見抜き、ジェット旅客機時代を切り開いた伝説的な人物である。そんなトリップとの約束をアレンはすぐに実行に移した。

当時の国際線主力機707やライバルのダグラスDC-8は200席弱だから2倍以上の大きさを求めるトリップの話はにわかに信じがたく、これを聞いたボーイング首脳陣は耳を疑ったが、トリップは真剣だった。しかもインパクトのあるフルダブルデッキの巨人機を望んでいて、それを「1969年中に納入しろ」と言ってきたのだ。この納期は通常の機体開発の2/3の期日である。チャンスの大きさと難しさにボーイング首脳陣は頭を抱えたが、断る選択肢はなく、直ちに検討チームを立ち上げた。プロジェクトの要となるチームリーダーには、後に「ボーイング747の父」と呼ばれるジョー・サッターが任命された。サッターは367-80、707、727、737などでキャリアを積み上げてきた、物静かだが優秀なエンジニアだった。当時44歳のサッ

ターは初めて自分のプロジェクトを与えられ、理想の旅客機を作り上げる決意をする。しかし747は当時のボーイングの本命ではなかった。

旅客機の本命候補はSST
貨物機利用を見据えた747

当時、ジェット旅客機の出現と好景気に牽引されて米国の航空輸送市場は急成長を遂げ、707やDC-8の旅客輸送能力や空港の処理能力は飽和状態に達していた。エアラインはより大きいジェット旅客機を求め、これが国内線用ワイドボディ機に繋がるが、長距離国際線では高速で路線の運航頻度を上げられる超音速旅客機（SST）が主流になる、と誰もが信じていた。このため欧州では英仏共同でコンコルド、ソ連ではツポレフTu-144が開発され、これらを追う米国ではSST開発計画が国家プロジェクトとして急ピッチで進められて、ボーイングはこの開発プライムだった。ボーイングのモデル2707はマッハ3の高速と300席近いキャパシティを持つ大型SSTとなるはずで、パンナムを始め日本航空、ルフトハンザ、ブラニフなど各国26社から122機の先行発注を集める注目の機体である。

ボーイング社内ではSSTが最優先で、優秀な若手エンジニアや社内リソースはみなSSTの開発に投入された。さらに当時の同社には売れ行きの良い727のストレッチ型や新型小型旅客機737の開発、アポロ計画用サターンVロケット1段目の開発など重要プロジェクトが目白押しだったので、最後発の747の注目度は低かった。張り切るサッターの下に集められたスタッフは、SSTやこれらの社内プロジェクトで声が掛からなかったサッターより年配のエンジニアばかりで、

747のロールアウト式典（1968年）で撮影されたボーイングのアレン社長（左）とパンナムのトリップ会長（右）。翌1969年に初飛行した747は同年末にパンナムへ初号機が引き渡された。

いかにも地味というのが実態だった。一言でいえばサッターが任された巨人旅客機はSST登場までの繋ぎであり、ボーイング上層部も400機も売れたら製造中止と考えていたのだ。ところがこのSSTの夢は大間違いだった。60年代後半から70年代初頭、地球環境問題が世界的に大きくクローズアップされて、大量の燃焼ガスとソニックブームで環境を破壊するSSTに急に強い向かい風が吹き出したのだ。とどめはオイルショックで、劣悪な燃費のSSTはもはや受け入れがたいものとなった。こうして花形だったSSTはあっという間に忘れ去られ、この時期を境に航空輸送業界は経済性重視へと急速に傾いていった。

SSTと747の関係についてはもう一つ重要な点がある。SSTの存在から旅客型747が短命に終わると考えたサッターは、旅客型を改修してフレイター（貨物専用機）にも使えるようにしようと考えた。そうすれば旅客型とフレイター型の2タイプで販売できるし、旅客機として退役してもフレイターへの改修で飛び続けられるという訳だ。この設計のおかげで747がフレイターとしても大成功したことは、まさに先見の明だ。

747と同じ1969年に初飛行したコンコルド。当時は、将来的に超音速旅客機が航空輸送の主力になると考えられており、747も貨物機として生き残れるように設計された。

革新的な技術を次々導入
短い開発期間でデビュー

　さて、話を1965年に戻そう。747の開発チームが結成されたちょうどその時、ボーイングの軍事部門にもう一つの大きなプロジェクトがあった。CX-HLS（Cargo Experimental – Heavy Logistics System）計画、後のC-5Aギャラクシー輸送機の提案である。ところがCX-HLS計画は1965年9月に業者選定が行われ、ボーイングはロッキードに敗れてしまった。

　この時ボーイングが作成したCX-HLS案の予想図は主翼取り付け位置を除けば747にそっくりで、サッター自身は否定しているもののボーイングのCX-HLS案が747開発に大きな影響を与えたことは想像に難くない。特にCX-HLS用に開発された新技術、高出力・高バイパス比ターボファンエンジンの情報をボーイングがいち早く入手して、エンジンメーカーと関係を築いていたことは重要

だった。高出力・高バイパス比ターボファンエンジンの出現こそ、超大型輸送機開発の技術ブレークスルーだったからである。

　こんな背景でスタートした747の設計作業はすぐに大難問にぶつかってしまう。チームは707の胴体を上下に重ねたようなダブルデッキ案で設計を始めたが、これがサッターのフレイター構想と相容れないのだ。ダブルデッキだとアッパーデッキへの貨物が積み込めず、普通の空港では運用できない。他にもアッパーデッキからの緊急脱出が難しい問題があり、熟考の末にサッターはパンナムに背いて、胴体を超ワイドボディのシングルデッキ構造に変更する大決断を下した。その後の旅客機の歴史を変える革新的アイデア誕生の瞬間である。さらにフレイター運用に備え機首が大きく開くカーゴドアの設置を可能とする胴体構造にして、邪魔なコクピットを機首上部に移動させ、ここに特徴的な747の機首フォルムが誕生した。

　意向に反した大変更をトリップに納得させるため、設計チームはダブルデッキと6.1mのワイドボディシングルデッキの2つの胴体モックアップを作り、トリップにその広大な空間を実体感させるという裏技を実行、これが見事に成功して1966年4月、ついにパンナムとの正式契約に漕ぎつけた。パンナムはローンチカスタマーとして25機を5億2千5百万ドルで正式発注し、いよいよ747計画がローンチした。

　パンナム大量発注のニュースは業界に衝撃を与え、航空関係者ですらその大きさになおも疑問を抱く中で、パンナムと競合するノースウエスト航空、TWA、日本航空、BOACといった各国大手エアラインが先を争って747を発注、747計画はにわかに注目を浴びることになった。

一方であれだけ大型プロジェクトを抱えながら、ボーイングは、深刻な財政難に陥っていた。花形のSSTは重大な技術的問題に直面して泥沼になりつつあり、727-200や737はやっと製造が始まるところで収益化はまだ先だ。しかも国家事業のアポロ計画では宇宙飛行士が殉職する大事故が起こって開発凍結となり、ボーイングは収入が途絶えてしまったのだ。

そんな中でエアラインから殺到する注文を抱えて2年後には間違いなく納入が始まるはずの747は、いきなりボーイングの救世主に祭り上げられた。迫る納期のプレッシャーだけでなく社内からの余計な横槍でストレスが高まる中、設計チームは休日返上で作業に没頭するが、前例のない巨人機開発には解決すべき難問が山積みだった。

747が実現した技術ブレークスルーは数多くあり、その筆頭は先に挙げた高出力・高バイパス比ターボファンエンジンだった。当時の標準的エンジンだった低バイパス比ターボファンエンジンJT3Dは最大推力9.5トンで、これでは全長70.6m、全幅59.6m、最大離陸重量336トンの747の巨体を離陸させるには全くパワー不足だった。そこでボーイングはプラット・アンド・ホイットニーと組んで、同社がCX-HLS用に試作した高バイパス比ターボファンエンジンから747専用エンジンを開発してもらうことにした。完成したJT9D-1は最大推力18.6トンと飛躍的な出力向上を見せ、騒音低減と燃費向上も実現されて747の航続性能の決め手となる。

エンジン出力同様、巨人機で重要なのは巨大な主翼である。パンナムの希望もあり、747は巨人機ながら当時のジェット旅客機の平均速度より速いマッハ0.85を狙ったため、主翼の後退角を37.5度と大きくして

高速化したが、同時に大重量となるフレイターとして安全に着陸させるためには安定した低速性能も必須だった。この問題の解決には727や737で経験のある後縁トリプル・スロッテッド・フラップに前縁クルーガー・フラップを組み合わせ、うまく高速性能と低速性能を両立させることに成功した。

この2点以外にも、軍用・宇宙用技術のスピンオフである三重冗長系を持つアナログコンピューターによる慣性航法装置（INS）導入は民間旅客機初の装備となったし、ワイドボディが実現した6.1m幅の広大なキャビンスペースにも、ツインアイル配置やフロアを仕切るギャレー、トイレ配置、扉付き大型オーバーヘッドビンなど、747には革新的な設計が詰まっていた。またコクピット後ろのふくらみはアッパーデッキとして利用され、ここに各エアラインは洗練されたラウンジを設けたので、これが開放的なロワーデッキと相まって747の未来的イメージを強調し、人々の注目を大きく集めることとなった。

こうした世間の注目をよそに、納期に追わ

当初は航空関係者でさえ機体規模が大きすぎると懸念した747だったが、豪華な内装や快適な機内空間が旅客の好評を得て、たちまち人気機種へとなっていった。

747クラシックで成功を収めたボーイングは、先進技術を盛り込んで2人乗務を可能にした747-400を登場させ、超大型機市場で盤石の体制を築くことになった。

れた開発現場はなりふり構わず急ピッチで作業を進め、1968年9月30日ついに747の1号機RA001がエバレット工場でロールアウトした。エバレット工場はこの規格外の巨人機の専用組立工場としてボーイングが建設した世界最大の工場である。各界の名士を招いた派手なロールアウト式典は宣伝効果も絶大で、747は世界の耳目を集めるが、実はこの時1号機は未完成で飛べる状態ではなかった。どんどん期日が迫る中で必死の組み立て作業が続き、ついに1969年2月9日、747は初飛行に成功する。プロジェクトローンチからわずか2年10か月という驚異的な早さだが、パンナムへの納期まで既に1年を切っていた。

　こうして期限ぎりぎりの1969年12月30日、長く厳しい型式証明認証試験の末に747はついにFAAの型式証明を取得し、晴れてエアラインへの引き渡しが可能となった。パンナムに引き渡された機体は、年が明けた1970年1月21日、ニューヨーク～ロンドン線で華々しくデビューし、ここから50年以上続く747の運航が始まった。

派生型や発展型が多数登場も 超大型機の時代は終焉へ

　パンナムへの引き渡しを皮切りに747-100

というモデル名となった初期型747は次々にエアラインに引き渡されて世界の国際線で活躍を始め、その巨大な姿と広く豪華な内装はマスコミの格好の話題となった。その人気は航空業界に留まらず社会的流行にまで膨らんで、ジャンボジェットという愛称も定着し、空の旅への憧れを象徴するアイコンとなっていく。

　こうした中、ボーイングは好調なセールスを受けて747の改修とバリエーション展開に力を注ぐ。実は747-100には開発時に未解決の重量超過とエンジン出力不足の問題があり、これらを解決したのが747-200Bである。-200Bは-100のJT9D-1エンジンをより強力なJT9D-7Aに換装し機体構造の強化と燃料タンク追加を行った性能向上型で、747クラシックと呼ばれる第1世代747の代表作となる。

　また、サッターが見込んでいたフレイター型への展開も始まり、747-200Fとしてデビュー。747の巨大な搭載量への業界の需要は高く、747はフレイターとしてもベストセラーとなった。さらに、利用客数が多いのに貧弱な空港設備のために短距離で回数を多く飛ばざるを得ない日本の特殊事情に合致した747SR（ショート・レンジ）や、-100の胴体を短くして機体重量と空気抵抗を減らし航続距離を延ばした747SP（スペシャル・パフォーマンス）と、次々にバリエーションを展開した。これらは全て747クラシックシリーズで、このシリーズ最後のモデルが延長型アッパーデッキ（SUD＝ストレッチド・アッパーデッキ）を持つ747-300である。これは-200Bのアッパーデッキを延長して客席数を増やしたモデルだが、アッパーデッキが後ろに伸びたことで空力が改善され、重量増加にも関わらず速度と航続距離が向

上した。

　1989年にはハイテクジャンボと呼ばれる第二世代の747-400が登場した。デビューから20年近く経過して古くなった747クラシックを最新ハイテクで近代化したモデルで、ハイテク機767の技術を応用してデジタル化、グラス化したクラス初のツーメンクルーコクピット、さらに-300で採用したSUDや主翼の延長とウイングレットの導入などで空力を改善し、エンジンもGE、プラット・アンド・ホイットニー、ロールス・ロイスの最新モデルに換装して、大幅な性能向上を実現した、747シリーズ最大のベストセラー機である。

　こうして1970年以来ベストセラーであり続けた747だが2005年になり、ついにシリーズ最後のモデル747-8が発表された。

　デビュー以来長らく対抗機種が現れず超大型機市場を独占し続けた747だったが、エアバスが先進的な対抗機種A380の開発を発表したことでボーイングは岐路に立たされた。すべてが最新のA380に747で対抗するのは分が悪く、市場は双発ワイドボディ機に傾くと考えたボーイングは先進機

787開発を軸とする営業戦略に進路を変更し、747の超大型機市場は諦めたかに見えたが、A380への市場の反応と787の先行発注の多さから、787の技術で再び近代化を図った747-8を市場に投入した。

　しかし、残念ながらかつての747の活況は戻らなかった。旅客型747-8I、フレイター型747-8Fとも反響が薄く、発注数は伸びない。ついに諦めたボーイングはCOVID-19が猛威を振るっていた最中の2020年7月、747-8の製造を2022年で終了することを発表した。そして、最後の機体となった747-8Fが2023年1月31日にアトラス航空へ引き渡され、ついにこの名機の製造は終わりを迎えた。シリーズ総製造機数1,574機、製造期間は1967年の1号機製造開始から56年、まさに前人未到の大偉業である。対抗馬のエアバスA380は既に製造を中止しており、この先巨人機の時代は戻らないかも知れない。しかし747の活躍はまだまだ続き、最後の747-8たちが引退するのは当分先だ。この歴史的名機の活躍はまだ終わっていない。

2023年1月31日、アトラス航空に引き渡された747-8F。これが747シリーズの最終号機となり、半世紀以上にわたる747製造の歴史は幕を閉じた。

747の外観は、ベースとなる747-100/-200（外観は同じ）、アッパーデッキを延長した747-300（ここまでをクラシックと呼ぶ）、主翼も延長した747-400、そして胴体を延長して主翼を再設計した747-8に大別できる。性能的にも大幅に向上しているが、いずれも一目で「ジャンボ」とわかる共通のアイデンティティーを持っている。

ディテール解説
ボーイング747-8
のメカニズム

写真と文＝阿施光南（特記以外）

初期型の3人乗務機「747クラシック（在来型）」の大成功を受け、いわゆるハイテク機の2人乗務機「ダッシュ400（747-400）」、さらに新技術を盛り込んだ「ダッシュ8（747-8）」と進化を繰り返してきたボーイング747。最新型のダッシュ8では、貨物機を中心に導入が進んだ。
エアバスA380が登場するまで、三十数年間にわたって事実上唯一の超大型エアライナーとして君臨してきた747の特徴を、3代にわたる進化の過程で生じた各タイプの違いなどにも注目しつつ解説していこう。

747-8（3代目）

747在来型（初代）

747-300（アッパーデッキ延長在来型）

747-400（2代目）

開発コンセプト
新技術投入＆旧モデルとの共通性維持

　ボーイング747-8は、747ファミリーの最終モデルだ。100型から400型へと続いてきたモデル名が唐突に8型となったのは、787のために開発された技術を使って作られたという意味だ。その狙いは、747-400よりも大きく、より経済的な旅客機を、747-400と同じ使い勝手で実現すること。

　開発時の取材では、ボーイングはしばしばドイツの名車ポルシェ911を引き合いに出してきた。ポルシェ911は1960年代に登場して以来、その基本デザインは踏襲しながらも、たゆまぬ改良によって世界をリードしてきたスポーツカーだ。747-8も同じく、747のレガシーを継承しながらも、新しい技術によって世界をリードし続けていくのだと。

　実際に旅客機では、旧モデルとの共通性は自動車以上に重要だ。パイロットや整備士には機種ごとの限定資格が必要だが、そのためには長い訓練期間と費用が必要に

■747-8F

■747-400F

747-400と比べると747-8の胴体は主翼前方でより長く伸ばされていることがわかる。後方を伸ばすと離着陸時の機首上げ角が小さくなってしまうためで、これでもアプローチ時のピッチ（機首上げ）角は747-400よりも1度小さくしている。

なる。だが、747-8を747-400（つまりすでにたくさんのパイロットや整備士がいる）と同じ資格で飛ばすことが認められれば、航空会社の導入負担はぐっと小さくなる。それはセールス上も、大きなアドバンテージになる。

機体サイズと素材
初めて胴体を延長した747-8

　747-8は、747ファミリーとしては初めて延長された胴体と新開発の主翼を持つ。胴体が長くなったことで印象がずいぶん変わっ

たが、これはとりわけ主翼よりも前方をより多く伸ばしたせいもあるだろう。具体的には延長分5.6mのうち、主翼前方は4.1m、後方は1.5mだ。A380に対抗して座席数は増やしたいが、ランディングギアの長さは変わらないのであまり後方を伸ばすと離着陸に際して機首を上げたときに後部胴体を擦りやすくなってしまう。とはいえ飛行機はバランスの乗り物なので、揚力が働く主翼よりも前方ばかりを伸ばすにも限界がある。そこで、バランスの取れる範囲でぎりぎり前胴を長くした

■ ノーズカーゴドア

747貨物機の特徴であるノーズカーゴドア。開閉に使われる動力は電気モーターで、フレキシブルシャフトを介してつながる左右のボールスクリューを回転させる。開口部全周に装備された16個のラッチと下部のプルインフックによって固定され、開操作時にはこれらが解除した上で開放する。

■ サイドカーゴドア

ノーズカーゴドアはアッパーデッキの影響で貨物の高さが制限されるため、後部胴体左側にサイドカーゴドアが設けられており、通常はこちらが主に使われる。サイドカーゴドアは高さ304cm×幅340cmで、天井ぎりぎりの貨物までを搭載できる。

結果、「首がひょろ長い」印象の飛行機になったのである。

主翼は新設計されたもので、翼断面は高速での抵抗が小さなスーパークリティカル翼型に変更されている。747-400のシンボルだったウイングレットは廃されて、スパンも64.4mから68.5mに拡大された。これでもA380（79.8m）よりだいぶ小さいが、それだけ空港内で利用できる誘導路やスポットの制限が少なくなる。この「大きすぎない」ということも747-8のセールスポイントのひとつになっている。

もちろん胴体や主翼を長くしたことから、またより多くの貨物の重さに耐えられるようにするため、機体重量は増加してしまい性能低下につながる。そこで747-8は、777で開発された新アルミ合金（2524-T3。通称「トリプルセブン合金」）を使うことで重量超過を抑えた。787のような複合材料製とすればさらに軽量化もできただろうが、そのためには開発期間やコストが跳ね上がってしまい、失敗のリスクも増大する。開発が先行している

■ 747-8の主翼

747-8の主翼は新設計されたものだ。747-400のウイングレットを廃して翼端を伸ばしたのではなく、翼型も含めて一新されている。一方で後退角や外側エンジンから外翼部の迎角の変化などがそのまま踏襲されたのは、操縦特性が大きく変わることで共通の操縦資格が認められなくなることを避けるためだ。

■ 747クラシックの主翼

747の主翼後退角は37.5度で、亜音速ジェット旅客機の中でもかなり大きい。これは747が開発された1960年代後半にはスピードが重視されたためである。だが747の就航から間もなく石油ショックにより燃料価格が高騰し、以後の旅客機はより経済性を重視した後退角の小さな主翼を装備するようになった。

■ 前縁フラップ

前縁のクルーガーフラップとバリアブルキャンバーフラップは747-400と同じ構成だ。着陸時には強力な逆噴射でダメージを受けないよう、タイヤが接地したあと一時的に格納される。

A380との差を縮めるためにも、ここは堅実な手法をとった。

ちなみに後に開発がスタートした777Xでは主翼が複合材料製になったが、そのためには新たに主翼を作るための工場を新設しなくてはならなかった。

翼と高揚力装置
ダッシュ400と同等の低速性能

747-8の主翼は、フラップを簡素化することでも軽量化を実現している。それまでの747は主翼後縁に複雑なトリプルスロッテッド(三

747-400F

747-8F

■ 後縁フラップ

747-8では、主翼の設計変更にともなってロール制御にはフライ・バイ・ワイヤ（FBW）が併用されるようになり、後縁フラップも内側は三段から二段へ、外側は二段から一段へと簡素化された。それだけ構造は簡単に重量は軽くでき、フラップが発する空力騒音も低減された。

■ 尾翼

尾翼は747-8でも大きな変更はないが、上下に分割されたラダーのうち下側がダブルヒンジ式となり効きを増した（下写真）。強力になったエンジンが故障した場合の左右のアンバランスを補正するためだ。

重隙間）フラップを備えていたが、747-8は内側をダブルスロッテッド（二重隙間）フラップ、外側をシングルスロッテッドフラップにしている。もちろん段数が少なければ構造は簡単になり、重量や整備の手間も少なくてすむ。主翼前縁には従来と同じくクルーガーフラップを装備するが、フラップと翼本体との間にスリットが設けられてより大きな揚力係数が得られるようにしている。

　一般に機体が重くなるほど失速速度も速くなってしまうが、747-8はこれらの高揚力装置によって747-400と同等の低速性能を実現した。それによって747-400と同規模の滑走路で離着陸できるようになっただけでな

く、747-400と共通の操縦資格が認められることにもなった。747-8のコクピットは747-400とほぼ同じだが、それでも離着陸速度などの諸元が大きく異なってしまうと資格の共通化が認められない可能性があったのだ。

　また747-8はロール制御に747ファミリーとしては初めてコンピューターを介したFBW（フライ・バイ・ワイヤ）を部分的に導入している。747ファミリーのロール制御は全速度で使用するインボードエルロンと低速時のみ使用するアウトボードエルロン、そしてスポイラーの左右差動によって行っているが、このうちアウトボードエルロンとスポイラーがFBW化されているのである。

747-8Fのメインデッキ貨物室

貨物室の断面は従来の747と同じだが、胴体延長に伴って容積は増加しており、最大積載量を113tから133tに増加（床下貨物室分も含む）している。床面には貨物を移動するための動力装置（PDU）が埋め込まれており、降搭載作業も省力化されている。

■ロアデッキ（床下貨物室）

ロアデッキは旅客型と同じだが、胴体が長くなっているので搭載できる貨物も増えている。

■アッパーデッキ下のメインデッキ最前部

旅客型では延長されたアッパーデッキ（SUD）を持つ747-400や747-8でも、貨物型は初期の747と同じショートアッパーデッキのままとしている。これはアッパーデッキのある部分は貨物室天井が低くなるため、貨物室の容積を有効活用できないためだ。なおSUDの貨物型もあるが、これは中古旅客機を改造した貨物機である。

尾翼まわりは基本的に747-400と同じだが、上下二分割されたラダーの下側が二段式（ダブルヒンジ式）となっていることと、貨物型の747-8Fでは水平尾翼内の燃料タンクが廃されている点が異なる。

下部ラダーがダブルヒンジ式とされたのは、強化されたエンジンの一発停止時（従来よりも左右推力の非対称が大きくなる）に備えてラダーの効きを十分に確保する必要があるためだ。

また747-8Fの水平尾翼内燃料タンクが省略されたのは、旅客機と貨物機の要求性能の違いによる。航空機は燃料とペイロード（乗客や貨物）の両方を満載すると最大離陸重量を超えてしまうため、どちらかを優先して飛ぶことになる。旅客機では遠くの目的地までノンストップで運航できることが重視されるため、できるだけ多くの燃料を搭載できた方が有利だが、貨物機は途中で給油のために着陸することになってもより多くの貨物

■旅客型のドア

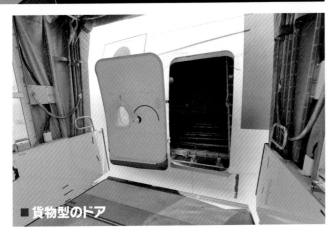

■貨物型のドア

■乗降ドア

747旅客型のメインデッキには片側5か所ずつのドアがあり、それぞれスライドシュートが内蔵されているためドア下部が膨らんでいる。それに対して貨物型のドアは最前方左側1か所(L1)のみで、しかも緊急脱出には使われないためスライドシュートのないすっきりとした形になっている。

■747-8Fの非常口

747-8Fの非常口はアッパーデッキのみにあり、側面の非常口にはスライドシュート(手前の箱状のもの)が備えられている。またコクピット天井の非常口はハーネスを降下用ワイヤーに接続して降りる仕組みで、8名分の降下具が備えられている。

を搭載できることを重視する。そのため、あまり多くの燃料タンクを用意しても使う機会がほとんどないのである。

貨物室
初期型以来の貨物型ノーズドアは健在

747が開発された1960年代には、将来の主役はコンコルドのような超音速旅客機になると予想されていたため、亜音速の747は貨物機への転用を想定して開発された。コクピットが高い位置に置かれたのも機首に貨物ドア(ノーズカーゴドア)を装備するため

だ。結果的に超音速旅客機は主役となることができなかったが、747には当初の狙い通りに貨物専用型も作られた。747-8の場合は、旅客型を747-8I(インターコンチネンタル)、貨物型を747-8F(フレイター)という。

747-8Iは前胴延長にあわせてコクピットに続くアッパーデッキ(二階席)も延長されているが、747-8Fは初期の747と同じ短いアッパーデッキのままだ。乗客を乗せない貨物型には長いアッパーデッキは必要ないという理由に加えて、アッパーデッキ部分はメインデッキの天井が低くなってしまうために機内ス

客席（荷主席）

■747-8Fの アッパーデッキ

747-8Fのアッパーデッキにはコクピットのほか、客席やパイロットの仮眠用ベッド（クルーレスト）、ラバトリー、ギャレーが設けられている。客席は社員の出張や貨物の随伴員などが使用するもので、ゆったりとしているがエンターテインメントシステムなどはない。

■ ラバトリー

■ クルーレスト

ペースを有効に活用できなくなるという大きなデメリットがあるからである。

また搭載できる貨物の高さは、機内のサイズだけでなく貨物ドアのサイズによっても制限される。初期の747貨物機はノーズカーゴドアしか装備していなかったが、ここから搭載できるのはアッパーデッキの低い天井部分を通れる貨物だけだ。そこで胴体後方の左側に高さのあるサイドカーゴドアが設けられるようになり、後部胴体内径ぎりぎりの背の高い貨物も搭載できるようになった。ただしノー

ズカーゴドアには長い貨物を搭載できるというメリットがあるのでそのまま残されている。

キャビン
最新の各種客室装備を導入

旅客型の747-8Iを採用した航空会社は、ルフトハンザ（19機）、大韓航空（10機）、中国国際航空（7機）のみで、他に米大統領専用機（エアフォースワン）などのVIP機を合わせても総計48機にすぎない。これは貨物型の747-8Fの約半分だ。このうちル

Akira Fukazawa

■ 747-8Iのメインデッキキャビン

胴体断面は747の全シリーズで共通のため、キャビンの座席配置も基本的に同じで、エコノミークラスならば3-4-3席の10アブレストが標準的な仕様となる。747-8IではLED客室照明や収容力の大きいオーバーヘッドビンなど、最新のインテリアが導入された。

■ 客室階段

メインデッキとアッパーデッキをつなぐ客室階段。747クラシックの初期型では螺旋階段だったが、のちに直線式の階段に改められた。747-8Iではデザインも近未来的なものになっている。

■ 747-8Iのアッパーデッキキャビン

747-8Iのアッパーデッキキャビン。前部胴体の延長により、747-400よりもわずかに収容力が増している。アッパーデッキに比べると狭く感じるが、リージョナルジェットに匹敵するキャビンスペースがある。

フトハンザと大韓航空はA380も導入しており、需要の大きさや就航地の事情などによって747-8と使い分けている。たとえばルフトハンザは同社初のA380をフランクフルト〜成田線に就航させたが、羽田空港には747-8を投入している。これは羽田空港が原則としてA380の乗り入れを認めていないためだ。

　747-8Iの胴体は基本的には747-400を延長しただけだから、キャビン断面や窓の大きさは変わらない。またキャビンはいくつかに区切られているので、胴体が長くなっていることを乗客が実感することもないだろう。それでも747-400のフライトを記憶している人は、やはり747-8Iは新型機だと感じるはずだ。大型化して滑らかな曲線を描くオーバーヘッドビンや明るいLED照明、そして快適なシートや機内Wi-Fiは、21世紀の旅客機にふさわしい快適さを実現している。またメインデッキとアッパーデッキとを結ぶ階段の周辺も大きく変わっている。従来は狭く地味だったが、747-8Iではゆるやかなカーブを持つ開放的な印象の空間になっている。

■ GEnx-2Bエンジン

エンジンは787用に開発されたGEnx-1Bをベースにした GEnx-2B。ただし与圧・空調などで使われているブリードエアのシステムが付加されている(787はブリードエアではなく電動コンプレッサーを使用している)。波形ノズル(シェブロン)で騒音を低減しているのも787と同じだが、コア部のノズルまでシェブロンとなっているのは787との違いだ。

ただしこうした「新しさ」を、747-8ならではのものなのかと疑問に思う人もいるだろう。なにしろキャビン径は同じなのだから、747-400も747-8と同じインテリアにすることはできるはずだ。現にルフトハンザは、機種ごとにサービスのクオリティが変わらないようにという配慮から、747-400にも747-8と同等のシートを装備している。しかし新型オーバーヘッドビンやLED照明までは装備されておらず、もしそこまで改修しようとすれば莫大な費用がかかるだろう。しかもそれだけの費用と手間をかけたところで、燃費が悪く老朽化のために整備コストも高くなっている747-400は競争力の高い旅客機にはならない。やはり明るくて快適なキャビンは747-8Iならではの魅力ということができるだろう。

エンジンとランディングギア
選択制は採らずGEnxのみ

747-8のエンジンは、ゼネラル・エレクトリック製のGEnx-2B一択だ。それまでの747ファミリーはプラット&ホイットニー、ゼネラル・エレクトリック、ロールスロイスの3社のエンジンを選べたが、747-8程度のマーケットをエンジンメーカー3社で奪い合っては開発費をまかなえないという判断でもある。

■ エンジンとパイロン

787と比べるとエンジンの直径はやや小さいが、747-400と比べると太く、地面との間隔を確保するために高い位置に吊るようにしている。そのため機首を上げた姿勢ではエンジンナセルが起こす乱流が主翼の空気の流れを阻害してしまうため、ナセルに装備した小さなフィン（ストレーキ）で渦を発生させて気流を整えるようにしている。離陸時に主翼の上を流れる雲が見えるのは、このストレーキが発生した渦だ。

■ 給油口

燃料は主翼下の給油口から搭載する。燃料消費量は747-400とほぼ同じというが、機体が大型化してより多くの貨物を積めるようになっているため重量あたりの輸送コストは低下している。ただし、双発機と比べてしまうと経済性は高くない。

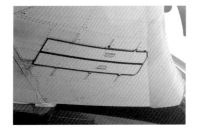

■ ラム・エア・タービン（RAT）格納部

747-8の右主翼付け根部分には、747ファミリーとしては初めての緊急用の風車（RAT）が内蔵されており、主エンジン故障時の油圧を補えるようになっている。

ランディングギア　Landing gear

■ 主脚

■ ランディングギア

ランディングギアは1本のノーズギア（前脚）と4本のメインギア（主脚＝2本のウイングギアと2本のボディギア）からなり、重量増加に対応して強化されているが構成やサイズはそれまでの747と同じ。メインギアの各脚には4本ずつタイヤがつき、それぞれにマルチディスクブレーキを装備。また最後方のボディギアはノーズギアのステアリング切れ角が大きいときには連動するステアリング機能もある。

■ 前脚

■ テールスタンション

貨物の積み下ろしによる重心変化で機体が尻餅をつくことを防止するため、貨物機では尾部にテールスタンションをあてがう。

GEnx-2Bは、787用に開発されたGEnx-1Bのファン直径を小さくしたもので、787では廃されていたニューマチックシステム用の抽気系統も追加されている。787用エンジンより細いとはいえ747-400用エンジンよりは太くたくましい印象になり、ノズルが波形になっているのが特徴だ。これはシェブロンと呼ばれ、高速で噴出される空気と周囲の空気とを滑らかに混ぜ合わせることで騒音を小さくする効果がある。787のGEnx-1Bでは周囲のバイパスエアのノズルのみシェブロンとしていたが、747-8のGEnx-2Bでは内側の排気ノズルにもシェブロンがついているのが違いだ。

■ 航法ディスプレイ

747-400と747-8の初飛行には22年もの差があり、よく似たコクピットにもその間の技術の進歩が反映されて中身はまったくの別物となっている。その象徴が電子チェックリストということになるが、さらにND（航法ディスプレイ）には垂直状況や空港内のマップなどを表示できるようになっている。

■ 747-8のコクピット

747-8のコクピットは基本的には747-400と同じだ。無線のコントロールパネルが新しくなっているのが目立つが、これは自動車でいえばカーラジオが新しくなったという程度の違いで、基本的な操作方法は同じになるようにしている。

747-8では機体重量や運航重量の増加に対応してランディングギアが強化されているが、その高さやタイヤの数などには変更がない。当然、キャビン床の高さなども変わらないので、ボーディングブリッジや貨物用ハイリフトローダー車など地上支援車両はそのまま使うことができる。

また747共通の仕様として、ノーズギアだけでなく最後部のボディギアにもステアリング機構が備えられており、地上での旋回半径を小さくしている。

コクピット
共通性を強く意識したレイアウト

747-8のコクピットは、一見したところ747-400と見分けがつかないほどよく似ている。これはパイロットの資格を共通化するためで、レイアウトだけでなく基本的な操作手順も共通化されている。ただし内容的には一新されており、最新の管制システムや航法システムにも対応している。またディスプレイ表示にも、たとえば従来は水平面の状況だけを

■ 747クラシックのコクピット

747シリーズは外観こそ似ているものの、とくにクラシック（在来型）とダッシュ400以降とでは中身は別物。航空機関士（FE）を含む3人乗務機のクラシックのコクピットは機械式計器が並び、操縦席の後方には大きなFEパネル（航空機関士席）が設置されていた。

■ NCAの747F

日本で唯一の747-8オペレーターであるNCAは、2013年の導入開始から2018年の747-400退役まで両方のモデルを併用したが、操縦資格が共通であるためパイロットは両方のモデルに乗務することが認められていた。とりわけ10機程度の規模の航空会社にとっては、パイロットの人員繰りからも資格共通化はきわめて重要であるといえる。

表示していたND（Navigation Display）に垂直面の状況も表示できるようになっていたり、電子チェックリストが装備されていたりといった違いがある。

電子チェックリストは紙のチェックリストをディスプレイに表示できるようにしただけではなく、機体のコンピューターも個々の項目について状況を確認してくれる。スラストレバーの両側には小さなツマミが追加されているが、これは電子チェックリストを操作するためのもので、747-400のコクピットとの数少ない識別点のひとつになっている。

胴体が長くなっているため、タキシングで曲がるときにステアリングを切るタイミングを変えたり、また着陸進入でのピッチ角が約1度浅くなっているなどの違いがあるが、基本的には違和感なく飛ばすことができるという。747-8の最大離陸重量は747-400よりも約10万ポンド（約45t。リージョナルジェット1機分に相当）も重くなっているにもかかわらず、それを感じさせないように作られているのである。

クラシック、ダッシュ400、ダッシュ8
製造期間半世紀以上の3世代ファミリー
747派生型のすべて

文=久保真人

747 Classic Specification

	747-100	747-100B
全幅	59.64m	←
全長	70.40m	←
全高	19.33m	←
翼面積	511㎡	←
エンジンタイプ	JT9D-3A	RB211-524C2
最大離陸重量	332,100kg	340,100kg
最大着陸重量	255,800kg	
零燃料重量	238,780kg	247,170kg
燃料搭載量	178,700L	181,950L
巡航速度	M0.83	M0.84
航続距離	6,800km	8,710km
最大座席数（2クラス）	452	←
初就航年	1970	1979
備考		

次々と「新しい景色」を見せてくれた747

「Queen of the SKY」「空の豪華客船」「大量輸送時代の申し子」……、
ボーイング747を形容する表現は多くあるが、ジェット旅客機として初めて2層の客室を持ち、
広大な主デッキに2本の通路を備えて500席もの座席数を提供する機種は747が最初となった。
1969年2月9日に初飛行した747は、初期の標準型となった747-100を量産してデリバリーを開始した。
その後、エンジンの改良と最大離陸重量の増加、最新技術の導入による改良を重ねるとともに、
エアラインのニーズに合わせた派生型を次々と開発していった。
その結果、半世紀以上にわたって製造が続けられることになった。
ここでは各派生型（民間型）の概要を紹介していこう。

	747-200B*	747-200B*	747-200C	747-200M	747-200F	747SR-100	747-100B SR	747SP	747-300	747-300M	747-300SR
	←	←	←	←	←	←	←			←	←
	←	←	←	←	←	←	←	56.13m	70.40m	←	←
	←	←	←	←	←	←	←	19.94m	19.33m	←	←
	←	←	←	←	←	←	←			←	←
	JT9D-7AW	JT9D-7R4G2	JT9D-7AW	JT9D-7J	JT9D-7AW	JT9D-7A	JT9D-7A	JT9D-7A	JT9D-7R4G2	CF6-50E2	JT9D-7R4G2
	351,500kg	377,800kg	362,800kg*	356,000kg*	251,500kg	235,865kg	272,100kg	315,600kg	340,100kg	351,500kg*	272,100kg
	←	285,700kg	←*	←*		229,060kg	255,800kg	204,100kg	255,800kg	274,380kg*	242,630kg
	238,780kg	←	267,570kg*	247,170kg*	←	215,455kg	219,950kg	192,740kg	238,780kg	247,160kg*	244,490kg
	198,370L	←	←	←	←	181,940L	183,360L	184,630L	183,350L	196,950L	183,350L
	←	←	←	←	←	M0.83	←	←	M0.85	←	←
	8,340km	11,397km	←	←	7,690km	2,590km	←	11,280km	10,463km	←	3,780km
	←	←	←*	←*	—	500*	555*	331	565	565*	624*
	1971	1983	1973	1975	1972	1793	1980	1976	1983		1986
	*前期型	*後期型	*all-passenger	*all-passenger		*all-economy	*all-economy			*all-passenger	*all-economy

747-400/-8 Specification

	747-400	747-400D	747-400M	747-400ER	747-400F	747-400ERF	747-8I	747-8F
全幅	64.40m	59.60m	64.40m	←	←	←	68.50m	←
全長	70.60m	←	←	←	←	←	76.30m	←
全高	19.40m	←	←	←	←	←	←	←
翼面積	525㎡	←	←	←	←	←	554㎡	←
エンジンタイプ	PW4056	CF6-80C2B1F	CF6-80C2B1F	CF6-80C2B5F	CF6-80C2B1F	CF6-80C2B5F	GEnx-2B67	GEnx-2B67
最大離陸重量	396,894kg	276,693kg	396,894kg	412,770kg	396,900kg	412,775kg	447,696kg	
最大着陸重量	285,764kg	260,362kg	285,764kg	295,743kg	302,093kg	←	n/a	343,370kg
零燃料重量	246,074kg	242,672kg	256,280kg	251,744kg	288,031kg	277,145kg	n/a	325,226kg
燃料搭載量	216,840L	203,493L	215,991L	241,140L	216,840L		242,470L	229,980L
巡航速度	M0.85	←	←	M0.855	M0.845		M0.855	M0.845
航続距離	13,450km	2,905km	13,360km	14,205km	8,230km	9,200km	14,815km	8,130km
最大座席数(3クラス)	400	628*	400*	416	—	—	467	
初就航年	1989	1991	1989	2002	1993	2002	2012	2011
備考		*all-economy	*all-passenger					

ボーイング社などのデータによる。原則として各タイプ初号機のエンジン装備機のデータを掲載。

747装備エンジン一覧

エンジン(推力)	747-100	747-100B	747-200B	747SR-100	747-100B SR	747SP	747-300	747-300SR
JT9D-3A (19,730kg)								
JT9D-3AW (20,400kg)								
JT9D-7A (21,290kg)								
JT9D-7AH (21,290kg)								
JT9D-7AW (22,030kg)								
JT9D-7F (21,770kg)								
JT9D-7FW (22,030kg)								
JT9D-7J (22,680kg)								
JT9D-7Q (24,040kg)								
JT9D-70A (24,040kg)								
JT9D-7R4G2 (24,490kg)								
CF6-45A (21,090kg)								
CF6-50E/E1/E2 (23,810kg)								
RB211-524B2 (22,720kg)								
RB211-524C2 (23,360kg)								
RB211-524D4 (24,090kg)								

エンジン(推力)	747-400	747-400ER	747-8
PW4056 (25,741kg)			
PW4062 (28,712kg)			
CF6-80C2B1F (26,263kg)			
CF6-80C2B5F (28,168kg)			
RB211-524G2 (26,308kg)			
RB211-524H8-T (26,988kg)			
GEnx-2B67 (30,163kg)			

Tokio Sato

Akira Fukazawa

747-100

重量増に苦しんだ747の原点

パン・アメリカン航空（パンナム）が25機を確定発注、続いてルフトハンザ ドイツ航空が3機、日本航空（JAL）が3機を発注したことでローンチした747最初の量産モデルで、FAAの型式証明取得は1969年12月30日。1970年1月22日にパンナムがニューヨーク〜ロンドン線に投入して初就航した。日本航空もTWA、ルフトハンザ、ノースウエストに続き同年7月1日に羽田〜ホノルル線、翌2日に羽田〜ホノルル〜ロサンゼルス線に投入した。

いわゆる在来型747のベースモデルで、就航時はシリーズナンバーがなく単に747だった（後にバリエーションが増えたので初期型は747-100となった）。747は機体の大きさに世間の耳目が集まったが、1960年代半ば以降、急速に発展した電子技術を大幅に取り入れた最初の旅客機としても特筆されるだろう。747はINS（Inertial Navigation System＝慣性航法装置）、自動操縦装置、自動推力制御装置、機体重量測定装置、気象レーダーなどを標準装備し、主要装置は3重化して冗長性を強化している。特にINSは、ミサイル誘導プログラムとして開発が始まり、地球と月を往復するアポロ宇宙船で実用化された精度の高い自蔵航法装置で、地上の航法援助施設に頼らなくても航法が可能となった。INSと自動操縦装置をリンクさせることで、目的地まで自動操縦で飛行できる。これにより、長距離洋上飛行で天測などを行っていた航空士は必要なくなり、パイロット2人と航空機関士1人の3人乗務が可能になっている。

初期量産型のエンジンはプラット＆ホイットニー（以下P＆W）のJT9D-3A（推力19,732kg）を装備し、最大離陸重量322,100kg、航続距離6,800kmとなった。結果として大西洋線の運航は可能だったものの、アメリカ西海岸とヨーロッパを結ぶ路線や日本とアメリカ西海岸を結ぶ太平洋線のノンストップ運航は不可能だった。設計値よりも重量が増えた747に対し、ボーイングとP＆Wはローンチ後も引き続き機体重量の軽減とエンジン推力向上に努めており、747B（後の747-200B）の開発を進めた。

この747Bに装備するJT9D-7（推力20,639kg）、後にJT9D-7A（推力21,290kg）を装備して最大離陸重量を33,249kgに引き上げた747-100Aが1970年に発表された。747-100Aが発表されると747-100初期型のエンジンはJT9D-7に改修が進められ、シリーズ名は747-100に統一されている。ちなみに日本航空も1972年から約1年間かけてJT9D-3AをJT9D-7Aに改修しており、初期の3機（JA8101 〜 JA8103）

Kiyoshi Matsuhiro

は747-100Aとして製造された4機（JA8107、JA8112、JA8115、JA8116）と同じ仕様（航続距離7,600km）になり、日本航空での呼称も747-100に統一された。

747-100は最初に導入を決めた3社に加え、ノースウエスト航空、BOAC、TWA、ユナイテッド航空、コンチネンタル航空、アメリカン航空、デルタ航空、エア・カナダ、エールフランス航空などが導入したが、アメリカの国内線に投入したユナイテッド航空、アメリカン航空、デルタ航空などは供給過剰となり経営を圧迫して早々と売却している。以降、747はオーバーシーをメインに運航する航空会社が導入する長距離用機材（日本国内は例外）として改良を重ねていくことになる。生産数は167機。

747-200B
在来型747のスタンダード

747-100の機体各部を強化して燃料タンクを増量(-100型の178,700Lから198,370L)し、推力20,657kgのJT9D-7を装備して航続距離を8,100kmまで延ばした改良型で、ボーイングが747の開発当初に計画していた本来の性能を得たモデルともいえる。1970年12月23日にFAAの型式証明を取得、1971年1月にKLMに引き渡されて運航を開始した。その後、長距離国際線を運航するノースウエスト航空、日本航空、スイス航空、スカンジナビア航空（SAS）、エア・インディア、カンタス航空などが次々と導入して747のスタンダードモデルとなった。

太平洋線に747-100を投入していた日本航空も4号機以降は747-200Bが中心となり、1971年9月1日に羽田〜サンフランシスコ〜ニューヨーク線を開設して、東行きの太平

Charlie FURUSHO

747-200B

洋区間で初めてノンストップ化を実現した。

747-200Bはエンジンの改良などを継続的に進めて最大離陸重量の増加と航続距離の延長を行った。例えば初期の改良では、推力21,290kgのJT9D-7Aに水噴射装置を追加して推力22,030kgとしたJT9D-7AW（中央翼内に2,650Lの水タンクを増設）では航続距離が8,340kmに延びている。1978年にはJT9D-7Aのファン直径を拡大するなどして推力増強（24,040kg）と低燃費を実現したJT9D-7Qが開発され、航続距離は最大9,600kmまで延長された。

747-200Bの航続距離が延びていくと太平洋線の西行きでもノンストップ運航が可能となり、日本航空は1975年7月に太平洋線を往復ともノンストップ化した。さらに1983年7月には、後述する747-300用のエンジンとしてJT9D-7Qをベースに開発された推力24,490kgのJT9D-7R4G2を装備した747-200B（JA8161、JA8162、JA8169）により成田〜ニューヨーク線のノンストップ運航を実現している。この機材は前方下部貨物室の後方に燃料タンクを増設して燃料タンク容量を210,400Lに増やし、航続距離は11,300kmまで延びている。

ボーイングは改良が続けられたJT9Dを次々と採用するとともに、1972年にDC-10

が装備していたゼネラル・エレクトリック（GE）のCF6と同系列のエンジンを装備するオプション導入を決定、続いて1975年6月にロッキードL-1011トライスターが装備していたロールスロイス（RR）のRB211と同系列のエンジンを装備するオプションも設定した。これにより747のエンジンは3社からの選択制となり、より多くのエアラインのニーズに応えることになった。例えば747とDC-10を国際線の主力機として併用していたルフトハンザやKLMなどは、747-200Bの導入にあたりCF6装備機を導入し、747とL-1011を併用していたブリティッシュ・エアウェイズやキャセイパシフィック航空などは、RB211を装備した747-200Bを導入している。

747-200Bは性能面だけではなく、エアラインのニーズによりキャビンの多様化を進めた。初期の747-100と747-200Bの上部デッキは定員に含まれないファーストクラスのラウンジとして使用されていたが、旅客需要の拡大やビジネスクラスの設定などが進んだことで上部デッキも定員に含むキャビンとして使用するようになった。このため上部デッキの窓を片側3か所から7〜10か所に増やしている。さらに1978年には主デッキと上部デッキを結ぶ階段を螺旋式から直線式に変更し、上部デッキの左舷前方にも非常用ドアを増設して上部デッキの定員を増やしたオプションも設定している（日本では全日空［ANA］の747SRと747-200B、日本航空の747-100B SRと一部の747-200Bが導入）。

747-200Bの旅客型最終号機は1989年8月に全日空に引き渡されたラインナンバー（LN）750のJA8190だった。この機体は、すでに開発されていた747-400と同じ空力改善デザインに変更された翼胴フェアリングが採用された。

747-200Bは派生型の全貨物型や貨客混載型、貨客転換型が開発されたことで多くのエアラインのニーズに応え、1971年から1991年までの約20年間で各派生型を合わせると393機（米空軍機VC-25A、E-4A/Bを含む）、民間旅客型の747-200Bだけでも223機が生産されて、在来型747のベストセラーモデルとなった。

747-200F
世界最大の民間型貨物輸送機

ボーイングは747の開発に際し、同時期に開発が進められていた超音速旅客機（SST）が実用化されれば、旅客輸送はSSTが主体となり、747は貨物機に改修して生き残る道を考えていた。結果的にSSTは、経済性やソニックブームの問題が解消されず、ボーイング2707は1971年に開発中止となり、商業運航を実現したのはソ連のTu-144を除くとコンコルドの14機だけで主流になることはなかった。この結果、747は今日まで続く息の長い旅客機として1,500機以上が生産されることになった。

ボーイング747が就航した1970年代は

Charlie FURUSHO

2度のオイルショックなどもあり、景気の乱高下が続いたが、国際航空貨物輸送においてはほぼ順調に伸びていった。そこでボーイングは747-200Bを基に貨物型を開発、1972年3月に初号機（LN168）がルフトハンザに引き渡された。

747はもともと貨物機として生き残ることを考えて主デッキを貨物室としても使用できるようコクピットを上部デッキに置くデザインを採用しており、主デッキを全て貨物室として使用することが可能だった。貨物機として開発された747-200Fは、機首部分の上部にヒンジを設けたバイザー式のノーズカーゴドアを設け、8×8×40ftの長尺コンテナを搭載できるようにしている。ただし、上部デッキがある部分は天井が低く、貨物の最大高が約2.5m（主デッキの貨物の最大高は約3m）となるため、主デッキの天地寸法を活かしたコンテナやパレットを横2列で搭載できるように、左舷の主翼後方に高さ3.05m、幅3.40mのサイドカーゴドアを設けるオプションを用意した。このオプションを最初に採用したのは日本航空の747-200F初号機として1974年9月に導入されたJA8123（LN243）となった。

747-200Fの主デッキは窓が塞がれ、床面は強化したうえでガイドレールと電動貨物搭載装置（パワー・ドライブ・ユニット＝PDU）が敷かれている。下部貨物室は旅客型と同じで、主デッキ貨物室と下部貨物室を合わせて最大ペイロードは90t（後期型は110t）にもなっている。

生産数は73機だが、旅客型の747-100と747-200Bなどを貨物型に改修した機体も多数存在する（後述）。

747-200C
主デッキを全旅客、全貨物の双方に転換

Charlie FURUSHO

747-200C

大手エアラインのように旅客便と貨物便を使い分けているオペレーターとは違い、主にチャーター輸送を行っているエアラインが旅客便と貨物便の双方を少ないフリートで運航する需要に対応するために開発された貨客転換型が747-200Cで、747-200Bと747-200F双方の特徴を併せ持つ派生型。「C」はConvertibleを意味する。

主デッキは旅客型と同じように窓を備え、床面は貨物輸送に備えて強化されている。747-200Fと同様のノーズカーゴドアを備えており、オプションのサイドカーゴドアを備えた機体もある。初号機はLN209の機体で、1973年4月に米軍のチャーターフライトなどを行っていたワールド・エアウェイズに引き渡された。生産数は13機。

また、アメリカ空軍が有事の際に不足する輸送機を補うため、1985年に民間機をチャーターするシビル・リザーブ・エア・フリート強化計画に基づいて、パンナムが運航している19機の747-100をコンバーチブル型に改修している。

747-200M
旅客と貨物の双方をバランス良く輸送

Charlie FURUSHO

747-200M

　300席程度のダグラスDC-10やロッキードL-1011と同等の座席数に加え、6〜12パレットの貨物を同時に輸送できる派生型が747-200Mで、登場当初は747-200B COMBIと言われた貨客混載型。747の主デッキはドアを境界に前方からA〜Eの5つのゾーンに分かれているが、747-200Mは後方のDとEゾーン、もしくはEゾーンのみを貨物室として使用できる。主デッキ左舷主翼後方には747-200Fと同じサイドカーゴドアが設けられている。

　主デッキを全て客室として使用する場合は2クラス標準で452席となるが、Eゾーンを貨物室として使用すると2クラス316席、DとEゾーンを貨物室として使用すると2クラス238席が標準となる。客室と貨物室の間には隔壁が設けられるので、旅客の視点からは奥行きのない747に乗ったように見える。

　最初の新造機はエア・カナダ向けのLN250の機体で、1975年3月に引き渡された。KLMやルフトハンザ、エールフランスなど主にヨーロッパの大手エアラインが導入し、日本路線にも投入された。全貨物型に改修された機体も数多い。生産機数は78機。

747SR-100
日本の国内線に向けた短距離仕様

　747は大西洋線やアメリカ大陸横断路線などの中・長距離路線への投入を目差して開発されたが、日本の国内幹線は旅客需要に対して空港の発着枠が少なく、慢性的な供給不足に悩んでいた。そこでボーイングは747-100Aをベースに主翼と胴体の一部の構造を強化してフライトサイクルを2倍に延長した747SR（Short Range）を日本航空に提案した。これに対し、日本航空は1972年12月に4機の747SRを発注し、初号機（LN221、JA8117）が1973年9月4日に初飛行した。初就航は1973年10月7日、羽田〜那覇線だった。

　基本的な性能はJT9D-7A（推力20,934kg）を装備した747-100と同じだったが、短距離運航のため最大離陸重量を236,000kg〜276,000kgに抑えている。また、飛行時間が1〜3時間程度の短距離路線を1日4〜6レグ程度飛行することから、ブレーキ温度モニター装置や改良型ブレーキの採用、APU始動方式の多様化などの特別装備が施された。

　国際線機材の747と比べて最も異なるのは客室設備で、主デッキのエコノミークラスは当時3-4-2の9アブレストを採用していたが、747SRは3-4-3の10アブレストに増席された。さらにギャレーの小型化とラバトリーの削減（国際線機材の13か所から9か所）を行い、空いたスペースに旅客用のシートを詰め込んだことで上部デッキ16席を含めて最大527席まで設定できるようにした。日本航空では当初480席、478席、490席の3仕様としたが、1974年7月に498席仕様に統一している。

日本航空に続いて全日空も747SRの導入を決め、1978年12月に初号機（LN346、JA8133）を受領、1979年1月25日に初就航した。全日空仕様は、エンジンの選択制が採用されたことでGEのCF6-50Eを減格したCF6-45A（推力21,109kg）を装備した。また、上部デッキの左舷に非常用ドアを追加して上部デッキの定員を増やし、主デッキと上部デッキを結ぶ階段を直線式に変更したオプションを採用したことで初めて500席を超えた（就航時は500席だったが最終的には536席まで増席）。

日本航空は1980年から1986年にかけて747SRの追加導入を行ったが、その頃には747-100の生産は終了しており、代わりに生産されていた747-100B（後述）をベースにした短距離仕様となった。さらに全日空機と同様の上部デッキ定員増のオプションを採用したことで世界最多座席数の550席となった。さらに1986年に受領した2機は、当時生産を開始していた747-300と同じ上部デッキを延長するオプションを採用した747-100B/SUDとなり、総座席数は563席まで増えている。

747SRを導入したエアラインは日本の2社のみで、747-100Bベースの機体も含めて総生産数は29機。

747SR-100

Charlie FURUSHO

747SP
**胴体短縮による軽量化で
航続性能を向上**

Kiyoshi Matsuhiro

747SP

400席級の747に続き、アメリカの国内線を中心に300席級のDC-10とL-1011が就航したことで、ワイドボディ機は一気に旅客機の主流になった。ボーイングはマクドネル・ダグラスとロッキードの2社が占めていた300席級のマーケットも狙い、747-100の胴体を短縮した747SP（Special Performance）の開発を計画した。しかし経済性の面で3発ワイドボディ機に劣ることから、胴体短縮と軽量化による航続距離延長をセールスポイントにしてエアラインに提案した。パンナムはこの航続性能に注目し、開発の背中を押したことで1973年9月10日にローンチした。

747SPは主翼の前後で14.2m短縮したため、翼胴フェアリングの形状を変更し、水平尾翼の全幅のスパンを3.05m延長、垂直尾翼の翼端も1.52m延長して安定を確保している。さらにラダーをダブルヒンジ式に変更するとともに、機体の軽量化により主翼のフラップをトリプルスロッテッド式からシンプルなシングルスロッテッド式に変更している。その他の部分は従来の747と約90%の部品を共用している。

燃料搭載量はJT9D装備機で184,630L、

JT9D-7Aエンジン装備機の最大離陸重量は215,600kg、機体の軽量化に加え胴体短縮により空気抵抗が減ったこともあり、航続距離は11,280kmとなった。追加の燃料タンクを装備したモデルでは最大離陸重量は285,765kg、航続距離は12,316kmまで延びている。

パンナムは747SPを1976年4月25日にロサンゼルス〜羽田線に投入、翌日にはニューヨーク〜羽田線に投入して、初めてアメリカ東海岸と日本を結ぶ商業運航便のノンストップフライトを実現した。ニューヨーク線でパンナムに対抗する日本航空も747SPに興味を示したが、オイルショックや騒音問題、日台線の停止など経営的に厳しい時期だったこともあり導入を断念している。代わりに新鋭DC-10-40を投入したものの、アンカレジ経由であることに変わりはなく苦戦を続けることになった。

747SPは長距離路線の多い南アフリカ航空やカンタス航空、アルゼンチン航空、中華航空（チャイナエアライン）、TWAなどが導入するとともに、UAEやサウジアラビア、バーレーンなどが政府専用機として導入した。

747SPのアドバンテージは航続距離の長さだったが、1980年代に入るとエンジンの改良などもあり、シートマイルコストの少ないフルサイズの747-200Bでも747SPと同等の航続距離を得ることになった。この結果、

747SPは役割を終えることになり、1982年に生産を終了した。総生産数は45機。

747-100B
ニーズがほとんどなかった中距離型

初期の747の完成形となった747-200Bは順調に受注を集めたが、それほど長い航続距離を必要としないエアラインに向けて、747SR-100と同様に主翼と胴体、降着装置などを強化し、RB211-524C2（推力23,360kg）装備機では最大離陸重量を340,100kgとした中距離路線用モデルを開発した。1979年8月にローンチカスタマーのイラン航空に初号機（LN381、推力21,770kgのJT9D-7Fを装備）が引き渡され、その後1981年から1982年にサウジアラビア航空が8機（RB211-524C2を装備）を導入した。しかし、想定よりも需要がなく、生産数は9機に留まった。

747-100Bとして引き渡された9機以外に、日本航空が1980年から747-100Bをベースにした747SRを5機導入している。このうちの2機は747-300と同様に上部デッキを延長した747-100B/SUDというモデルになった。

Kiyoshi Matsuhiro

747-100B

Charlie FURUSHO

747-100B/SUD

747-300
上部デッキを延長した
在来型747の完成版

1970年代後半になるとボーイングは、順調に増え続ける旅客需要に対応するため747-200Bの上部デッキを延長して定員を増やす派生型の計画を進めた。すでに747-100B/-200Bの上部デッキの奥行きを約1.8m延長してエコノミークラスでは最大38席を設定できる仕様を導入していたが、外観は初期の747と同じだった。新しい派生型では主デッキはそのままで、上部デッキだけを後方に7.11m延長する案が採用されることになり、外観のシルエットも変わることになった。

この派生型は、上部デッキにエコノミークラスなら最大86席を設定できることから、FAAが要求する90秒以内で全員が緊急脱出できるようにするため、上部デッキの中央に主デッキと同じタイプAの非常用ドアを両サイドに設けた。この非常用ドアは外側上方に開くガルウイングタイプを採用している。また、それまでの747と異なり、上部デッキにもオーバーヘッドビンを設けることになった。主デッキと上部デッキを結ぶ階段はL2ドアを入った所に移設し、直線式の階段を上ると上部デッキ後部のギャレー前にアクセスする。

エンジンはP＆WのJT9D-7R4G2（推力24,490kg）、GEのCF6-50E2（推力23,810kg）、RRのRB211-524D4（推力24,090kg）からの選択式で、最大離陸重量は340,100kg、航続距離は10,463kmを標準とした。機体重量は747-200Bよりも約5,000kg増えたが、上部デッキを後方に延長したことで空力が改善され、747-200B

と同程度の航続距離を得ている。

この派生型に最初に興味を示したのはスイス航空で1980年6月に5機を確定発注し、ボーイングは747-300のシリーズ名を正式に発表した。初就航は1983年3月28日、スイス航空（後述する747-300M）だった。日本航空も1983年末に2機をリース導入（LN588のN212JLとLN589のN213JL）して太平洋線に投入、3号機以降は自社購入機となり、1986年に成田～シカゴ線やシベリア上空通過のロンドン線、パリ線のノンストップ便などに投入された。

ボーイング747-300は747SUD（Stretchd Upper Deck）とも呼ばれた。SUDは747のオプションの一つにもなり、日本航空は747-100Bをベースにした747SRにこのオプションを採用して、747-100B/SUDとして1986年に2機（LN636のJA8170とLN655のJA8176）を導入した。また、すでに製造されて運航に就いている747-200BをSUDに改修するレトロフィットも提案しており、KLMが10機、UTAフランス航空（後にエールフランスに統合）が2機の747-200BをSUDに改修した（型式は747-200B/SUDとなった）。改修作業はボーイングのエバレット工場で実施され、工期は3か月程度を要した。

1985年に747-400がローンチしたことで1990年に新規受注を終了、生産数は56機。

747-300M
旅客と貨物をバランスよく輸送

　747-300の貨客混載型で、1983年3月にスイス航空に引き渡された。747-200Mと同様に左舷の主翼後方（Eゾーンの前方）に高さ3.05m、幅3.40mのサイドカーゴドアを設け、EゾーンもしくはDとEゾーンを貨物室として使用できる。スイス航空やKLM、サベナ・ベルギー航空といったヨーロッパの大手エアラインや、シンガポール航空、大韓航空、ヴァリグ・ブラジル航空などが導入している。上部デッキが延長されていることから、上部デッキをビジネスクラス、メインデッキをエコノミークラスとしたエアラインが多く、例えば大韓航空はEゾーンを貨物室として使用して、上部デッキのビジネスクラスを含めて323席を提供した。生産数は21機。

747-300M

747-300SR
日本航空だけが導入した
短距離用の747-300

747-300SR

　日本航空は初期に導入した747SRの更新機材として、すでに国際線に導入していた747-300の短距離バージョンを1987年から1988年にかけて4機導入した。日本航空はすでに747-100Bをベースにした747SRの上部デッキを747-300と同じSUDタイプに延長したJT9D-7Aエンジン装備の747-100B/SUDを2機導入していたが、JT9D-7Aが生産を終了していたため747-300と同じJT9D-7R4G2に変更したことから747-300SRのシリーズ名となった。日本航空は最大離陸重量を27,010kgに抑えて国内線に投入した。総座席数563席は747-100B/SUDと同じだったが、一時期2機の747-300SRはモノクラス584席に改修されて最多座席数の記録を更新した。

　基本的な性能は747-300と同じであることから、1999年に4機全てが最大離陸重量を引き上げて国際線仕様に改修された。客室設備などの改修はボーイングのウィチタ工場で行われ、改修後はホノルル線やシドニー線などに投入された。総生産数は4機。

Boeing747-400

ダッシュ400

747-400

747-300をハイテク化した第二世代のジャンボ機

1988年に747-300の引き渡しを開始したボーイングは、当時飛躍的に進化したデジタル技術を747に取り入れるとともに、航続距離をさらに延長する発展型の開発に着手した。

この発展型の胴体は747-300と変わらないSUD仕様だが、主翼を左右1.8m延長し、翼端に高さ1.8mのウイングレットを装着して翼端渦流による誘導抵抗を軽減するなどして空力特性を向上させる。また、767/757に導入された新アルミ合金を胴体構造材の一部や主翼スキンなどに取り入れて軽量化と強度増を実現、さらに主翼内の予備燃料タンクの増設に加え、水平尾翼内にも11,000Lの予備タンクを増設することで搭載燃料量を216,840Lまで増加し、航続距離を最大13,000km以上まで延長させる計画だった。

エンジンは当時の最新型である高出力・低燃費のP＆WのPW4056（推力25,741kg）、GEのCF6-80C2B1F（推力26,263kg）、RRの211-524G2（推力26,308kg）からの選択制とした。

一方、767/757で確立されたシステムのデジタル化とFMS（Flight Management System）によるフライト管理を実現させる。このためコクピットは6面のCRTディスプレイに情報を集約するとともに、システムオペレーターとして乗務していた航空機関士の業務も自動化してパイロット2人での運航を可能とした。これによりコクピットの物理的なスイッチやダイヤルなどの数は971から365に減るこ

とになった。

キャビンはゾーンごとに空調を設定できるようにするとともに、オーバーヘッドビンの大型化や側面内装パネルのデザインを変更している。また、長時間の飛行に備えてキャビン最後部の上部に屋根裏部屋のようなクルー用のレストバンクを設定、ここにベッドやシートを配置するオプションも用意する。

この発展型は747-400のシリーズ名となり、ノースウエスト航空の発注により1985年10月22日にローンチ、まずPW4056を装備したLN715の機体が1989年1月26日にノースウエストに引き渡され、2月1日にニューヨークから成田へのテスト飛行を実施して日本に初飛来している。初就航は2月9日だった。

日本で747-400は「ハイテクジャンボ」、航空関係者の間では「ダッシュ400」と呼ばれ、当時747最大のオペレーターだった日本航空が1987年9月にCF6装備機の導入を決定、1990年4月1日に羽田～福岡線と成田～ソウル線で初就航した。全日空も1988年10月にCF6装備機の導入を決定し、1990年11月1日に羽田～伊丹線で初就航している。日本航空は747-400に

「スカイクルーザー」、全日空は「テクノジャンボ」の愛称を付けて新しい747を大々的にアピールした。747-400の登場でそれまでの3人乗務機（747-100から747-300）は「在来型747」「クラシック747」などといわれるようになった。

　航続距離が延びた747-400の導入で、偏西風の強い冬場のニューヨークやワシントンD.C.から成田に向かうフライトでも、アンカレジや新千歳で給油するテクニカルランディングが大幅に減ることになった。

　747-400は在来型747の更新機材として世界のメジャーエアラインが次々と導入し、1990年代後半までに747の主流となった。生産数は747シリーズで最も多い442機。

747-400M
根強い人気の貨客混載型

　747-400でも在来型747と同様に派生型が計画され、最初に貨客混載型が生産された。結論からいえば747-300Mの747-400バージョンということになる。つまり、左舷の主翼後方の主デッキにサイドカーゴドアを設け、Eゾーンを貨物室として使用した場合は最大7枚のパレットを搭載できる。

　貨物搭載のため主デッキの構造を強化し

たこともあり重量がやや増加（CF6装備の重量増加型の場合10,206kgの重量増）して、航続距離は旅客型の747-400に比べると全客室の場合でも航続距離が若干短くなって13,360kmとなった。

　最初に引き渡されたのはKLMで、1989年9月12日に初就航した。その後エールフランス、ルフトハンザ、アシアナ航空、大韓航空、マレーシア航空などが導入した。日本路線の主力機として使用したKLMは、上部デッキとA・Bゾーンをビジネスクラス、C・Dゾーンをエコノミークラスとして使用して252席を提供した。生産数は61機。

747-400D
747-300SRの747-400バージョン

　747-400でも747SRと同様に日本の国内線向け短距離仕様の747-400Dが生産された。この派生型は国内の狭い空港での運用を考慮して、短い飛行時間では効力が発揮できないウイングレットを外し、翼幅を在来型747と同じサイズにしている。さらに頻繁に繰り返される離着陸に備えて、主翼や主脚取り付け部分などが強化されている。また、短距離の運航となるため、水平尾翼の燃料ポンプなどのシステムを取り外しており、主脚には短いターンアラウンドタイムに備えてブレーキのクーリングファンも備えている。

　まず日本航空が1988年6月に発注し、初号機（LN844のJA8083）が1991年10月22日に初就航した。続いて全日空も導入し、1992年2月1日に初号機（LN891のJA8099）が初就航して747SRを置き換えていった。エンジンは両社とも747-400と同じCF6-80C2B1Fを備え、日本航空機の最大離陸重量は276,200kg（国際線の747-

400は385,600kg）、航続距離は4,170km、全日空機の最大離陸重量は271,900kg（国際線の747-400は394,600kg）、航続距離は3,830kmの諸元となった。

　機内は両社ともにスーパーシートと普通席の2クラスで、日本航空機は568席、全日空機はそれよりも1席多い569席仕様で運航した。

　747-400Dは主に旅客数の増加とフライトサイクルの増加に対応するための改修を施した機材で、最大離陸重量を引き上げれば747-400並みの航続距離となる。これに注目した全日空は、国際線拡張に伴う機材不足に対応するため、2機の747-400D（JA8955とJA8957）を747-400仕様に変更する改修を1996年から1997年にかけて行っている。主な改修はウイングレットの装着や客室仕様の3クラス化、クルーのレストバンクの設定などが実施された。

　この2機は、2001年に今度は747-400D仕様に戻す再改修を行っている。2003年には国際線仕様として導入されたJA401AとJA402Aの2機を747-400D仕様に変更する改修も行われている。

　747-400Dは日本の2社のみが導入し、生産数は19機に留まった。

747-400F
747-200Fと同じ上部デッキに変更した貨物型

Charlie FURUSHO

747-400F

　747-400の3番目の派生型として、1993年に引き渡しを開始したのが貨物型の747-400F。ウイングレットを装着した主翼や空力改善デザインの翼胴フェアリング、パイロット2人での運航を可能としたグラスコクピットなどは旅客型と同じだが、上部デッキはSUDではなく、747-200Bまでと同じ短いタイプにしているところが最大の特徴になっている。もともとSUDは上部デッキの座席数を増やす目的で誕生したが、貨物型の上部デッキは荷主などわずかな旅客しか使用しないため、重量的に不利になることから短いタイプとなった。

　貨物型としての基本デザインは747-200Fと同じで、機首部に開口部の高さが2.49m、幅が2.5mのバイザー式ノーズカーゴドアを、左舷主翼後方に開口部の高さが3.12m、幅が3.40mのサイドカーゴドアを備えている。主デッキ床面にPDUが敷き詰められているのも同じだが、機首部分の搭載レイアウトの変更などによって搭載パレット数は最大30枚に増えている。さらに後部の下部貨物室の容量も拡大したことで最大ペイロードは113tに増加された。

747-400D

Charlie FURUSHO

最初に導入したのはカーゴルックス航空（LN1002）で、1993年11月17日に初就航した。キャセイパシフィック航空や大韓航空、シンガポール航空といったアジアのエアラインや、エールフランス、KLM、エアブリッジカーゴ、ポーラー・エアカーゴ、UPSなどの欧米のエアラインも導入した。日本でも日本貨物航空が2005年6月に、日本航空が2004年10月に導入し、日本貨物航空機は最大離陸重量397,000kg、航続距離7,850kmの諸元で運航した。

貨物型747では受注が最も多く、生産数は126機となった。

747-400ER
航続距離をさらに延ばした超長距離型

747-400の登場で主要都市を結ぶ長距離ルートのノンストップ化が進んだが、ボーイングはさらに航続距離を長くする747-400IGW計画を進めた。IGWとはIncreased Gross Weight＝重量増加型のことで、747-400の燃料タンクを増設するとともに、より高推力のエンジンを装備することで最大離陸重量を増やして航続距離を延ばすことを目差した。重量増に対応するため機体や主翼の一部も強化される。

Charlie FURUSHO

この重量増加型に対して、シドニー、メルボルンとアメリカ西海岸を結ぶような飛行時間が15時間を超える路線を運航していたカンタス航空が2000年11月28日に発注、747-400ERとして正式にローンチした。ERとはExtended Range＝航続距離延長型のことで、このシリーズ名は、777-200IGWを開発中に777-200ERに名称を変更したのと同じだった。

747-400ERは下部貨物室に11,583Lの燃料タンクを増設して搭載燃料は239,363Lとなり、最大離陸重量は412,770kg、航続距離は14,205kmまで延びた。カンタスは推力28,168kgのCF6-80C2B5Fエンジンを選定し、2002年10月29日に型式証明を取得して2002年10月31日に初号機（LN1308）が引き渡された。

747-400ERは747-400開発から10年以上経過しているため、コクピットのディスプレイをCRTからLCDにアップデートしている。また、上部デッキのオーバーヘッドビンは新デザインとなって大型化された。このタイプのオーバーヘッドビンは、すでに就航している747-400にもレトロフィットで装備できるようになった。

747-400ERを導入したのはカンタスのみで、生産数は6機に留まった。最後に引き渡されたのは2003年7月で、これをもって旅客型747-400シリーズの製造は終了し、貨物型のみが生産されることになった。

747-400ERF
さらに重重量化した貨物型

747-400ERと同様に最大陸重量を増加した747-400Fが747-400ERFで、2001年4月にローンチした。ローンチは747-

400ERより後だが引き渡しはやや早く、2002年10月17日にエールフランスが初号機（LN1315）を受領した。最大離陸重量は747-400Fよりも15,875kg増えて412,775kgとなり、航続距離も8,230kmから9,200kmに延びている。重量の増加分を燃料ではなく貨物の搭載に使用すれば、航続距離は延びないがペイロードは増えることになる。最大ペイロードは124t。

エンジンは旅客型と同じCF6-80C2B5Fに加えてPW4062を装備したモデルも生産された。LN1419（現在はカリッタ・エアで

747-400ERF

運航中）が747-400シリーズで最後に生産された機体となった。生産数は40機。

Boeing747-8　　　　ダッシュ8

747-8 Intercontinental
ボーイング最後の4発旅客機

747シリーズで最も多く手が加えられたのが最後の派生型となった747-8で、その構想は1990年代までさかのぼる。ボーイングは747-400よりもさらに大型の新機種を開発する構想を持つようになったが、エアバスが総二階建てのA3XX（2000年12月19日にA380としてローンチ）の開発を本格的に進めていたことに加え、超大型機のマーケットに2機種が共存できるだけの需要がないことから新しい大型機の開発を断念した。代わりに747-400をさらに重重量化、大型化する747-500X/-600X、747X/Xストレッチなどさまざまな計画案を発表した。しかし、ボーイングは2001年に250席級の新中型機である「ソニッククルーザー」、もしくは「7E7（後の787）」の開発を優先させることを発表して747発展型計画の優先順位は下がることになった。

747-8I

しかし2003年に入ると、747-400をストレッチして大型化する747アドバンスド計画（発表時は旅客型と貨物型で胴体長が違ったが、最終的には胴体の長い貨物型に統一）を提案、2005年11月14日にカーゴルックス航空と日本貨物航空が貨物型の発注を行い747-8Fの名称でローンチした。続いて旅客型もルフトハンザが2006年12月に発注した。旅客型は747-8 Intercontinental（747-8I）の名称となり、747-8Fと区別されることになった。

747-8の胴体は747-400よりも5.58m延長されて全長は76.3mとなり、上部デッキも後方に延長されている。翼面積が拡大された主翼は新設計となり、主翼端は747-400のウイングレットと異なり777-200LR/-300ERで導入されたレイクドウイングチップを採用して空力の改善を行っている。飛行制御を行う主翼のスポイラーとエルロンはフライ・バイ・ワイヤによる制御となった。

エンジンは787に採用されたGEnx1Bシリーズのファン直径を小さくしたGEnx-2B67（推力30,163kg）の一択となった。静音効果のあるシェブロンノズルは787用のエンジンと同じで、離陸時の騒音を軽減するとともに、燃料効率は747-400と比較すると約16%向上している。最大離陸重量は447,696kg、航続距離は14,815kmとなった。

機内は、主デッキと上部デッキを結ぶ階段のデザインが変更されるとともに、客室窓は777と同じサイズ（747-400よりも8%拡大）に変わった。内装は787と同様の曲線を活かしたデザインを取り入れ、LED照明を採用している。

旅客型の747-8Iは2011年3月20日に初飛行を行い、2011年12月14日にFAAの型式証明を受けた。2012年2月28日に最初の機体（LN1434）が非公表のVIP顧客に引き渡され、2012年5月に最初のエアラインとなったルフトハンザに引き渡された。初就航は2012年6月1日のフランクフルト～ワシントンD.C.線だった。現在ルフトハンザは4クラス364席仕様で運航を行っている。

747-8Iを導入したエアラインはルフトハンザ、大韓航空、中国国際航空の3社で、政府専用機などのVIP仕様機を含めて生産数は48機。

747-8F
最後の747発展型

747-8で最初に受注したのが貨物型の747-8Fで、まず貨物型から組み立てが始まった。延長された胴体、新設計で翼面積と翼厚を増やした主翼、エンジンなどは747-8Iと共通だが、747-400Fと同様に上部デッキは延長されていない。

機首部分のノーズカーゴドアと左舷主翼後方のサイドカーゴドアを備えるのも747-400Fと同じだが、胴体の延長によりパレット7枚分に相当する貨物の追加搭載が可能で、搭載量は約16%増加して133tに、貨物室の容積は747-400Fの758㎡から857.7㎡に増えている。最大離陸重量は442,253kgで、航続距離は747-400ERFよりやや短くなって8,130kmとなった。

747-8Fは2010年2月8日に初飛行、2011年8月19日にFAAとEASAの型式証明を取得した。2011年10月12日に最初の機体（LN1423）がカーゴルックス航空に引き渡されて運航を開始した。747-8のパイロットの型式限定は747-400の派生型の扱いとなり、それまで747-400/-400Fの運航を行っていたエアラインのパイロットは、新たな型式限定を取得することなく乗務でき

747-8F

Charlie FURUSHO

る。このため多くの貨物エアラインが導入することになった。ローンチカスタマーの1社となった日本貨物航空も2012年7月26日に初号機（LN1431、JA13KZ）を受領して、8月13日の成田〜ロサンゼルス線に投入して運航を開始した。

しかし世界は777や787など経済性の高い中型双発機の時代を迎え、燃費の悪い4発機は敬遠されるようになり、747-8の生産は年間6機にまで落ち込むことになってしまった。さらに新型コロナウイルスのパンデミックにより世界の民間航空界は未曾有の不況に陥り、ボーイングは2020年7月29日に747の生産を2022年に完了させるとの発表を行った。2022年12月7日に747-8F（LN1574）の生産最終号機がエバレット工場をロールアウトして54年に及ぶ747の生産を終了した。最終号機は2023年1月31日にアトラスエアに引き渡された。747-8Fの生産数は108機。

MODIFIED VERSIONS 747改修機

747SF/747-400BCF
貨物機としての第二の人生を与えられた747

747は将来SSTが主流になった後に貨物機として生き残ることを考えてデザインされた。747-200Bでは最初からノーズカーゴドアを備えた貨物機として生産された派生型が登場したが、旅客型として生産された747-100/-200Bを貨物型に改修した機体も多い。最初はパンナムやTWA、アメリカン航空、デルタ航空、ユナイテッド航空などが手放した747-100を貨物機に改修してフライングタイガーやUPSなどの貨物エアラインにリセールする例が多く見られた。日本航空も1977年8月に貨物需要に応えるため、747-100のJA8107を貨物型に改修して日本航空2機目の貨物機として路線に再投入した。また日本航空と全日空が運航していた747SRの一部の機体も売却後に貨物型に改修されて、日本航空の機体はエバーグリーン・インターナショナルとUPS、全日空の機体は日本貨物航空が導入している。

747-200SF

貨物型への改修は、ボーイングのMRO事業を行っていたボーイング・エアプレーン・サービセズのウィチタ工場で行われ、工期は約3か月を要した。主な改修は、主デッキの旅客用設備と階段を撤去して床面を強化したうえでPDUを敷き、左舷主翼後方のパネルを747-200Fと同じサイドカーゴドアを設けたパネルに交換することで、構造的に難しいノーズカーゴドアは付けられていない。主デッキの客室窓はそのまま残された。その後、客室窓を全て埋めたタイプと一部の窓を残すタイプも登場した。貨物型改修機にはシリーズ名の後ろにSF（Special Freighter）が付けられるようになった。

747-400BCF

747-400LCF Dreamlifter
787の大型コンポーネントを
輸送する専用機

上部デッキの長い747-300と747-400も貨物型に改修された機体がある。改修手法は747-100/-200Bと同じだが、上部デッキは前方のみを客室として使用し、中央の非常用ドアの後方に隔壁を設けて、その後方はデッドゾーンになった。なお、製造時からサイドカーゴドアを備えている747コンビ型から貨物型に改修された機体も多い。

貨物型改修はボーイングが主体となって行っていたが、ボーイング以外でも改修を請け負う会社が出てきた。例えばMRO事業を実施しているイスラエル・エアロスペース・インダストリーズBEDEKアビエーション・グループが改修した機体は、シリーズ名の後ろにBDSF（Bedek Special Freighter）が付けられる例もある。

ボーイングは拡大する貨物機需要に備えて2005年12月に747と767のBCF（Boeing Converted Freighter）をローンチした。これは改修を規格化してボーイングの純正改修機であることをブランディングしたもので、キャセイパシフィック航空が最初の顧客になった。改修作業はボーイング認定工場の厦門のシャーメン・エアクラフト・エンジニアリング（TAECO）で行われた。日本航空も747-400BCFを導入しており、2006年6月に最初のJA8902を受領して6機を導入した。

ボーイング787の胴体や主翼などの大型コンポーネントは、アメリカ国内や日本、イタリアで生産されており、それらは最終組立施設のあるシアトルとノースチャールストンへ運ばれて最終組立を行っている（2021年4月からはノースチャールストンのみ）。この各地で生産された大型コンポーネントを空輸するために白羽の矢が立ったのが747-400だった。

改修母機となった747-400のL1/R1ドア後方に、787の胴体コンポーネントが入る太い胴体を取り付けて、主翼のウイングレットを外している。貨物室は非与圧で、後部胴体全体が右舷側に開いてコンポーネントを搭載できるようにしている。このため上部デッキの操縦席後方に与圧エリアと非与圧エリアを遮る圧力隔壁が設けられた。型式は747-400LCF（Large Cargo Freighter）、サブネームはドリームリフターとなった。

改修作業は台北のエバーグリーン・アビエーション・テクノロジーズ（EGAT）で実施され、2006年8月から1992年8月までに

747-400LCF

4機が改修された。母機となったのは中国国際航空機が2機、チャイナエアライン機が1機、マレーシア航空機が1機で、機体の所属はボーイング社となった。運航は当初エバーグリーン・インターナショナルが請け負っていたが、2007年8月からはアトラスエアが受託している。

787は開発・生産のうち35%を三菱重工、川崎重工、スバルなどが分担しており、日本で生産されたコンポーネントは中部国際空港で747LCFに搭載して最終組立地のアメリカに運ばれている。

番外編

民間機以外の747
747を名乗らないアメリカ空軍機

VC-25A

日本の政府専用機として導入されて航空自衛隊が運用した747-400のように、中東諸国を中心に747を王室専用機などとして導入したVIP仕様機も存在する。主に機内をVIP仕様に改修しているが、型式は民間型の747を名乗っている。しかしアメリカ空軍が導入した747は、独自の軍用名称が与えられている。その象徴的な存在は、アメリカ大統領が搭乗する際に「エアフォースワン」のコールサインが使われる2機のVC-25Aだ。もとはLN679とLN685のCF6-80C2エンジンを装備した747-200Bで、初号機は1990年1月26日に初飛行し、8月23日にアメリカ空軍に引き渡された。客室はもちろんVIP仕様で、2基に増やされたAPU、PBBやタラップを使わなくても乗降できるエアステアーの装備、特別な通信機器の装備、そして空中給油装置の装備などの改修が施されている。

すでに運用を開始してから30年以上が経過したため、後継機としてLN1519とLN1523の747-8 Intercontinentalを取得して大統領専用機としての改修を進めている。この2機はもともとロシアのトランスアエロが発注していた機体だったが、会社が経営破綻したためボーイングが保管していたもので、2017年8月1日にアメリカ空軍が購入契約を結んだ。型式はVC-25Bとなる。

このほかアメリカ空軍では、核戦争が起こった際に戦略攻撃部隊に指令を下す空中コマンド・ポスト機として747-200BベースのE-4A/Bを4機運用しているほか、レーザーによる弾道ミサイル迎撃試験機として747-400F（LN1238）を母機としたYAL-1Aが1機存在する。

Virgin Orbit

ボーイング747＆エアバスA380

世界の**変わり種**巨人機

旅客機や貨物機として製造されるのが一般的なボーイング747やエアバスA380。
しかし、中には特殊な用途で運用されている機体が存在する。
その多くが、エンジン開発に用いられるテストベッド機だが、奇抜な任務を担っている機体もある。
そんな世界の「変わり種巨人機」の一部を紹介しよう。

文＝Aki　写真＝Aki Archive（特記以外）

GE Aerospace

ボーイング747

―――― スペースシャトルを背に乗せた2機のジャンボ ――――

[NASA]
Boeing747-123(N905NA)
Boeing747SR-46(N911NA)

1977年8月～2011年7月まで、135回ものミッションをこなした宇宙往還機「スペースシャトル」。その「スペースシャトル」のオービター（宇宙船本体）を基地間輸送したのが2機のSCA（Shuttle Carrier Aircraft）ジャンボ機だ。1機は1970年10月にアメリカン航空に引き渡され、1974年7月にNASAが取得して2012年秋まで使われたN905NA。もう1機は1973年9月にJALに引き渡された747SR（JA8117）で、1988年秋にNASAが取得して2012年2月までN911NAの登録記号で運用されていた。

既に2機のSCAは退役しているが、N905NAはテキサス州のスペースセンター・ヒューストン（ジョンソン宇宙センターの公式ビジターセンター）に、N911NAはカリフォ

現在はスペースセンター・ヒューストンに展示されているSCAのN905NA。

ルニア州パームデールのジョー・デイビーズ・ヘリテイジ・エアパークにそれぞれ展示されている。ちなみにこの2機は一部パーツを後述する「空飛ぶ天文台」SOFIA（747SP）向けに供給した。

SCAはオービターを背に載せ、着陸地

もう1機のSCAであるN911NAは元JALの747SRだ。

から打ち上げ基地となるフロリダ州のケネディ宇宙センターまで輸送するのが役目だった。このため胴体は強化され、上部にオービターを載せるためのマウティング・ストラットが取り付けられた。また、オービター輸送時に重心位置が移動することから、安定性確保を目的に水平尾翼に垂直安定板が装着された。客席は外されたが、N905NAでは搭乗するNASA関係者向けにファーストクラスが残された。

20トン以上あるオービター搭載時は、実用上昇限度が約4,600m、速度がマッハ0.6程度、航続距離も約2,130kmと制限された。

実際、平均的なオービターの輸送距離は1,300km弱だった。さらにオービターの積み降ろしには、MDD（Mate-Demate Device）と呼ばれる特別なクレーン施設が使われた。MDDはカリフォルニア州エドワーズ空軍基地内にあるNASAアームストロング・フライト・リサーチ・センターとケネディ宇宙センターに設置されたが、MDDが無いところでは複数のクレーンが使われた。

ところでオービター輸送を主任務としたSCAだが、2010年12月にはボーイングの「ファントム・レイ」無人機（UCAV）も輸送している。

大口径の反射望遠鏡を搭載した「空飛ぶ天文台」

[NASA]
Boeing747SP-21(N747NA)SOFIA

米国NASA（アメリカ航空宇宙局）とドイツDLR（ドイツ航空宇宙センター）が共同で運用した成層圏赤外線天文台が、「空飛ぶ天文台」と呼ばれるSOFIA（Stratospheric Observatory for Infrared Astronomy）だ。1997年10月にNASAが取得したSOFIAは、2022年9月29日に一線から退いた。ただし、SOFIAはアリゾナ州ツーソンにある世界的に有名なピマ航空宇宙博物館に展示されることが決まっている。

SOFIAは機内に直径2.5mという、航空機に搭載された望遠鏡としては最大の反射望遠鏡によって大気中の水蒸気の影響を受けない高度41,000フィート（約12,500m）から観測できるというもので、惑星や彗星、恒星、星間物質などの研究に供された。巨大な反射望遠鏡の開発はDLRが主導し、ミラーはドイツのショット社が製造、これをフランスのSAGEM-REOSCが磨いた。そして、スイスのCESM（スイス・エレクトロニクス・マイクロテクノロジー・センター）がミラー機構などを開発し、SOFIAは後部側面からこの望遠鏡で観測を行った。

一方、観測機改修を担当したのはNASAだ。1997年10月に747SPをUSRA（大学宇宙研究協会）から購入、E-システムズ

巨大な反射望遠鏡を機体後部に搭載し、空中で観測を行うSOFIAのN747NA。

（現在のL-3コミュニケーション・インテグレーテッド・システムズ）で機体改修を実施。胴体後部に観測用の5.5m×4.1mのドアを装着したほか、反射望遠鏡は胴体後部、圧力隔壁の後ろに設置された。

N747NAは、元々は1977年5月にパン・アメリカン航空にデリバリーされたN536PA「クリッパー・リンドバークW」で、その後はユナイテッド航空で運航。どちらも成田空港の常連機だった。そして、SOFIAに改修されたのちも「クリッパー・リンドバークW」の愛称は引き継がれた。なお、NASAはSOFIA運航のための部品取り機として、別途、N747A（元ブラニフ航空の747SP、N606BN）を取得、こちらは2016年11月からカリフォルニアのモハベでストアされている。

―――「スペースジェット」装備エンジンのテストベッド機―――
［Pratt & Whitney］
Boeing747SP-B5(C-GTFF/FTB4)

大手エンジンメーカーのプラット・アンド・ホイットニーでは2機のボーイング747SPをエンジン・テストベッド機として運用している。2機はいずれもアメリカ・ウエストバージニア州にあるプラット・アンド・ホイットニー・エンジンサービス社の登録となっているが、運用ベースはカナダのミナベルである。

プラット・アンド・ホイットニーはC-GTFFを2007年12月に取得、いったんはN708BAのレジ（登録記号）でプラット・アンド・ホイットニー・エンジンサービス社に登録された。ただし、運用開始はもう1機のC-FPAWよりもあとの2010年で、運用開始時にカナダ登録機となり、「FTB4（Flight Test Bed4）」となった。元々は1981年春に大韓航空にデリバリーされた747SP（HL7457）なので、日本にも飛来していた機体だ。

C-GTFFはジャンボ機特有のこぶの部分、ちょうどコクピットの後ろあたりのスターボード（右舷）側にだけ最大推力20,000ポンドまでのテスト用エンジンを取り付けられるよう改造されている。テスト用エンジンを装着するための小翼内には、テスト・データ通信用のケーブルやテスト用エンジンに燃料を供給するた

右舷前方にテスト用のエンジンを装着したプラット・アンド・ホイットニーのFTB4。

めの燃料ラインなどが収められている。開発中止となった三菱航空機の「スペースジェット」が装備するPW1200Gギアードターボファン・エンジンの飛行試験は、このC-GTFFで実施された。このとき、PW1200Gには「PurePowerPW1200G」の文字とともに「This Changes Everything」という標語が描かれていた。尾翼にはプラット・アンド・ホイットニーのロゴがペイントされ、胴体には「PRATT AND WHITNEY CANADA」のタイトルが入っている。747SPとしては数少ない現役機だ。

[Pratt & Whitney]
Boeing747SP-J6(C-FPAW/FTB3)

Pratt & Whitney

同じエンジン・テスト
ベッド機でもFTB3は
第2エンジンに試験
用エンジンを搭載。

プラット・アンド・ホイットニーが保有する、も
う1機のエンジン・テストベッド機がC-FPAW。
2009年夏に取得したこの747SPは、1980
年秋に当時の中国民航（CAAC）が取得、
唯一の米国登録SP機（N1304E）として成
田等に飛来していた。その後、中国籍とな
り中国国際航空が運航、2009年6月にプラッ
ト・アンド・ホイットニー・エンジンサービス
社に登録され、前出のC-GTFFよりも早く
運用が開始された。プラット・アンド・ホイッ
トニーでは、747SP以前に2機のボーイン
グ720テストベッド機を使っていたため、
C-FPAWは「FTB3」となった。

カラーリングはC-GTFFと同じく尾翼にプ
ラット・アンド・ホイットニーのロゴが描かれ
ているが、C-GTFFとの大きな違いは、コク
ピット後ろのスターボード側にテスト用エン
ジンを装着するための小翼が無いことだ。その
意味でC-FPAWは、通常のSP機と外見

的な大きな違いは無い。

一方、機体には大きく「PurePower Engines」
のタイトルが書かれている「PurePower
Engines」とは、現在、プラット・アンド・ホイッ
トニーの主力エンジンであるギアードターボ
ファン（GTF）エンジンのことだ。つまり、
C-FPAWはGTFエンジンのテストベッド機
として運用された。C-GTFFが装着した
PW1200GももちろんGTFエンジンだが、
C-FPAWは推力が20,000ポンドを超える
PW1100G-JM（日本がパートナーとして
参加している）やエアバスA220向けの
PW1500などの飛行試験を実施している。
飛行試験にあたっては、747SPの第2エン
ジンにGTFエンジンを搭載。写真などで
は第2エンジンだけが他のエンジンと異なる
ちょっと変わった出で立ちとなっている。

ところでエンジン・テストベッド機として
747SPを使っているのはプラット・アンド・ホ
イットニーだけだ。747SPを選定した理由を、
プラット・アンド・ホイットニー・カナダのフラ
イトオペレーション・ディレクターは速度、航
続距離、飛行高度がテストベッド機に最適
だったからと述べている。

2機の747SPはFTBとして現役だが、
年間飛行時間は平均で250時間と少ない。

[GE Aviation]
Boeing747-121(N747GE)

現在、中型機向けエンジンでロールスロ
イスと市場を二分し、小型機エンジンではフ

ランスのサフランとの共同出資会社CFMI
でプラット・アンド・ホイットニーとこれまた市

場を二分するGEアビエーション。最高の経営者と称されたジャック・ウェルチやデジタル化を推進したジェフ・イメルトなど偉大な経営者を生み出したが、現在は戦略の大きな見直しを迫られている。それでも「航空機エンジンのGEアビエーション」は健在だ。

そんな同社が最初に運用したエンジン・テストベッド用のジャンボ機が、1970年春にパン・アメリカン航空が導入したN744PA、「クリッパー・スター・オブ・ザ・ユニオン」、後の「クリッパー・オーシャン・スプレー」だ。1992年春、GEアビエーションはこの機体を、同社初となるジャンボのエンジン・テストベッド機として取得し、ボーイング777-300ER/-200ER、777FのシングルソースエンジンとなっているGE90-115Bのテストベッド機として使った。GE90-115Bエンジンは747の第2エンジンに搭載された。

GEアビエーションのエンジン・テストベッド機。第2エンジンにテスト用エンジンを搭載するが、他は旅客機時代と大きな変化はない。

旅客機時代と外見上の大きな変化は無いが、残り3基のプラット・アンド・ホイットニーJT9D-7Aと比較して外径は明らかに大きかった。ちなみに当初は赤のラインに「GE Aircraft Engines」のタイトル、尾翼にGEのロゴを入れたN747GEだったが、その後、タイトルを「GE Propulsion Test Platform」に変更し、塗装も尾翼から胴体後部が淡い青色となり、GEのロゴも白で描かれるようになった。既に退役した同機は、現在、アリゾナ州ツーソンのピマ航空宇宙博物館に展示されている。

最新エンジンのテストベッド機になった元JAL機

［GE Aviation］
Boeing747-446（N747GF）

現在、GEアビエーションのエンジン・テストベッド機として運用されているのが747-400のN747GFだ。このジャンボ機は1994年初めにJALへデリバリーされ、2010年春まで同社で飛んでいた懐かしい機体である（元JA8910）。2011年1月にGEアビエーションがN356ASのレジで取得、その年の暮れに現在のN747GFへ登録変更されている。機体はN747GEで導入された「GE Propulsion Test Platform」のカラーリングだ。

N747GFは、IHIやサフラン、MTUなどが参加しているボーイング777X向けのGE9Xのテストベッド機として現在も活躍している。第2エンジンに搭載されたGE9Xは、残り3基のCF6-80C2B1Fと比較すると、やはり口径が大きい。GE9Xのファン径は

747クラシックの先代に変わりダッシュ400が採用されたGEアビエーションのエンジン・テストベッド機。

132インチ（約3.4m）に対して、CF-6のファン径は106インチ（約2.7m）。GE9Xのファン径はCF-6より2割ほど拡大しており、GE90と比べても1cmほど大きい。推力も102,000ポンドとCF-6の1.6倍以上だ。つまり、N747GFは先代のN747GEよりもさらに進化、大型化した新型エンジンを第2エンジンとして搭載した変わり種のジャンボ機となった。ただし、777XはGE9Xの温度センサーなどのトラブルもあり予定より大幅に開発が遅れている。2022年にも777Xの飛行試験が一時中断したが、幸いなことに同年12月半ばには再開された。さらにGEでは、CFMIで開発しているオープンローターをA380に搭載して飛行実証する前に、N747GFで試験を行う計画だ。

ジャンボ初のエンジン・テストベッド機

［Rolls Royce］
Boeing747-267B(N787RR)

ロールスロイスのエンジン・テストベッド機。ダッシュ400の後継機も導入予定だったが、中止された。

ジャンボ機をエンジン・テストベッド機として最初に導入したのはロールスロイスだった。機体は1980年春にキャセイパシフィック航空にデリバリーされたVR-HIA。その後、アイスランドのエア・アトランタ・アイスランディックに転籍、サウジアラビア航空やエアアジアなどにもリースされたジャンボだ。2005年夏にロールスロイス・ノースアメリカに登録され、「スピリッツ・オブ・エクセレント」のシップネームでエンジン・テストベッド機として活躍している。この機体の装備エンジンは、もちろんロールスロイス製のRB211-524D4だ。

現在、ロールスロイス唯一のエンジン・テストベッド機であるN787RRは、レジから分かるようにボーイング787向けのトレント1000エンジンの飛行試験に供された。トレント1000のファン径は112インチ（約2.8m）でRB211の86.3インチ（約2.2m）の1.3倍弱あるため、こちらも第2エンジンの大きさがやたらと目立つ変わり種ジャンボ機となった。さらにN787RRは2021年10月、廃食油を原料とするワールドエナジーのSAF（持続可能な航空燃料）100%での試験飛行にも成功している。今後はダッソーファルコン10X向けのパール10Xエンジンの試験飛行を実施する予定だ。

ところで、ロールスロイスではN787RRの後継テストベッド機として、2019年末に元カンタス航空の747-400（VH-OJU→N747RR）を取得し、同機は開発中のウルトラファン向けにモーゼスレイクで改修が実施された。この機体はプラット・アンド・ホイットニーのC-GTFFと同様、テスト用エンジンをポートサイド側の小翼に装着するデザインだった。しかし、新型コロナの影響もあり、ロールスロイスは2022年にN747RRの導入をキャンセル。残念ながら、ロールスロイスの「変わり種747-400」は実現しなかった。

——— 弾道ミサイル迎撃システムのテストベッド機 ———

[USAF]
Boeing747-4G4F(YAL-1A/00-0001)

変わり種大型機の中で「最もおっかない機体」が、アメリカ空軍が開発した「YAL-1A」だろう。2004年、国防省が「YAL-1A」と命名したこの機体は、MW級レーザーでブースター・フェーズ（発射から大気圏内飛行時の間）のTBM（戦術弾道ミサイル）を迎撃破壊することを目的としたエアボーン・レーザー・テストベッド機なのである。1983年にレーガン大統領の演説で開発がはじまったSDI（戦略防衛構想）において研究されたレーザー兵器と類似したコンセプトだ。機体には気体レーザーの1種であるCOIL（Chemical Oxygen-Iodine Laser：化学酸素ヨウ素レーザー）を搭載。COILは過酸化水素、水酸化ナトリウム、塩素の混合物を燃焼して近赤外のレーザーを発振する高出力・高効率なレーザーだ。ただ、オゾン層に影響を与えるハロゲン化合物が大量に放出されるなどの課題もあった。

空軍は2001年にモハベにストアされていた元エア・インディアのジャンボ機の胴体（AL-1）を使い、エドワーズ・パーク・フライトテストセンターのSIL（システム統合研究所）でCOILテストを50回以上実施して実機へのCOIL搭載を可能とした。そして2002年、ボーイングが747-400Fを改造。COIL搭載のために胴体後部を改修して中央部を薬品保管場所とし、その前にバトルマネジメント室を設置。また、フライトデッキ下にビーム・コントロール・システムを設置し、ノーズ部にはレーザー照射タレットを取り付けた。

大改造された「YAL-1A」は、2002年7月に初飛行、2004年にはCOILの発射試験が地上で行われた。その後、エドワーズ空軍基地の第417試験飛行中隊ABL合同試験部隊（417th Flight Test Squadron Airborne Laser Combined Test Force）に配備され、2007年春には飛行中にレーザーを照射して命中させることに成功。その年の末には6基のCOILが「YAL-1A」に搭載された。

ところがその後、「YAL-1A」の本質的な問題が明らかになった。例えば、ブースター・フェーズでミサイルを迎撃するためには10〜

弾道ミサイル迎撃システムのテストベッド機YAL-1A。見るからに異様な機体である。

20機の747が必要で、しかも相手国の国境内を周回する必要があった。そのコストはジャンボ1機につき15億ドル、運用費は1機あたり年間1億ドルと試算されたことで最終的にこの計画は現実的ではないとの判断に達し、2010年、空軍は予算要求をしなかった。その結果、プログラムは中止され、現在、「YAL-1A」はツーソンのデビスモンサン基地にストアされている。そして、レーザーによるミサイル迎撃は、無人機を使う方向へと進んだ。

ちなみに「AL-1」となった元エア・インディアの747については詳細が不明なのだが、部品取り機として他社に売却された以外では、VT-EDUと退役日が不明のVT-EFU、VT-EGA、VT-EGB、VT-EGCあたりが該当する可能性がある。

─── ロケットを空中で発射する「コズミックガール」 ───
［Virgin Orbit］
Boeing 747-41R(N744VG)

第2エンジンと胴体の間にロケットを搭載、空中から発射する「コズミックガール」。

現在、最もユニークな「変わり種ジャンボ機」は、ヴァージン・オービットが運用する747-400「コズミックガール」だろう。

2017年3月に設立されたヴァージン・オービットは、航空機による小型衛星打ち上げサービス事業を行っている。その年7月には、2001年秋からヴァージン アトランティック航空で使われていた747-400「コズミックガール」を取得。「コズミックガール」は2015年10月までヴァージン アトランティック航空で運用されていたが、翌月に宇宙旅行事業会社であるヴァージン・ギャラクティックに一度売却され、ロケット打ち上げ機に改修された後、ヴァージン・オービット登録となった。

ヴァージン・オービットの「コズミックガール」は、左翼の第2エンジンと胴体の間に小型衛星打ち上げロケット「ランチャーワン」の懸架システムがある。ここは従来からジャンボ機がエンジン輸送をする際に、いわゆる「第5エンジン」を懸架する場所だ。2020年4月の試験は失敗だったが、2021年1月には初の打ち上げに成功、10個の小型キューブサットをLEO（地球低軌道）に投入した。11月にはANAホールディングスが人口衛星打ち上げ事業でヴァージン・オービットとMoU（基本合意書）を締結した。

2022年7月までに4回の衛星打ち上げに成功しているが、いずれもカリフォルニア州のモハベ・エア・アンド・スペースポートがローンチサイトとなっている。ローンチサイトは英国、ブラジル、オーストラリアにもあるが、2020年4月には大分空港を水平型宇宙港（スペースポート）として活用することで合意した。また、ウクライナ危機の勃発でLEO向け衛星打ち上げ需要が拡大するとみて、2022年5月、さらに2機の747-400を追加する計画を発表した。そして、この2機は元

日本政府専用機だった747が充当される可能性も報じられている。

なお、2023年の1月10日に行われた英国コーンウォール宇宙港からの打ち上げでは、母機の747からの「ランチャーワン」投下は成功したものの、ロケットが周回軌道に乗らず、残念ながら打ち上げは失敗に終わってしまった。

───────── 世界で唯一のKC747空中給油機 ─────────
[Iranian Air Force]
Boeing 747-131[SF](5-8103)

現在、米軍の空中給油機と言えば、自衛隊も導入しているKC-46やまだまだ現役のKC-10、KC-135などが頭に浮かぶ。実はかつて、KC-22やKC-33と呼ばれる747をベースとした空中給油機計画があったのだが、結論的にはオーバースペックだとして実現しなかった。コストが嵩む上に運用場所が限定され、なによりもそれだけ大量の燃料を空中で供給する必要があるのか、といったことが理由だ。

ところが、747空中給油機は遠く離れた国、しかも現在はアメリカと激しく敵対する国で実用に供された。それがイランである。

とはいえ、747の空中給油機を開発したのはアメリカだ。1972年7月6日、リサーチ・プラットフォームとして使われていた747のプロトタイプ機（RA-001）に空中給油ブームを装着、SR-71「ブラックバード」（955）とドライブームの接触チェックを行った。もちろん、これは空中給油機KC747開発のために実施されたのだが、空軍はより運用性が高いなどの理由でKC-10を採用、747の空中給油機は実現しなかった。しかし、ボーイングではその後も747-400FをベースにKC-135Rのブームを装着、AAR（Air-to-Air Refuelling）オペレーター・ステーションや燃料電池等を搭載したKC-33を検討した。ただ、この計画もKC-767の登場でペーパープランに終わった。

一方、ボーイングは1970年にTWAにデリバリーされたN93113（元々はイースタン航空が発注し、キャンセルとなった747）を1975年春に取得、この機体を貨物機に改造して、当時は親欧米路線をとっていたパーレビ国王のイラン空軍に5-282として引き渡した。5-282は、写真でみると空中給油ブームが無いが、翌年、5-8103となった同機には空中給油ブームが装着されていた。空中給油システムがいつ装着されたかは確認できなかったが、結果としてイラン空軍の5-8103は世界唯一の747空中給油機となった。

この747空中給油機は、1979年のイラン革命後も運用され、その後、何度か民間登録機となった。最後は2016年秋にEP-CQBとなったが、空中給油ブームは装着されたままだった。そして、2021年に同機は退役。現在、世界でたった1機の747空中給油機はテヘラン空港にストアされている。

開発国のアメリカでは中止された747の空中給油機だが、敵対国となったイランで実現したというのが皮肉だ。

[Evergreen International Airlines]
Boeing 747-132[SF](N479EV)

空中消火機に改造はされたものの森林火災消火ミッションに投入されることはなかったN470EV。

「スーパータンカー」として森林火災消火に活躍したN479EV。

　近年の気候変動で多発する森林火災。特に米国カリフォルニア州や地中海沿岸、オーストラリア、アマゾン、ロシアなどでは大規模な森林火災が発生、甚大な被害が生じている。このため「フォレストディフェンダー」などの消火剤や水を空中から投下する「エアタンカー」（空中給油機ではない）が世界中で活躍している。かつては大戦中のレシプロ機を含む、古い輸送機が使われることが多かったが、森林火災による上昇気流等の影響で墜落事故が発生、現在ではDC-10やMD-80シリーズといった元旅客機が「エアタンカー」として採用されている。

　そんな「エアタンカー」の中でも最大の規模を有する、初のジャンボ・ベースの機体となったのが、エバーグリーン・インターナショナルのN479EV「スーパータンカー」である。当初、エバーグリーン・インターナショナルはこの機体とは別の747-273C（N470EV）を世界初の「スーパータンカー」としたが、実際にはこの機体が空中消火に使われることはなかったため、実質的に初の「スーパータンカー」となったのがN479EVだった。同機は19,600ガロン（約74,000リットル、10リットルバケツで7,400杯分!）の消火剤や水を投下することができる。

　N479EVは、元々1970年代初めにデルタ航空で運航され、その後はチャイナエアライン（B-1860）とパン・アメリカン航空（N725PA）に転籍しながら日本にも飛来していたジャンボ機だ。そして、1992年秋から「スーパータンカー」として森林火災消火に従事していたのだが、2011年にリタイヤ。機体を運航していたエバーグリーン・インターナショナルも2013年に倒産してしまった。現在、N479EVは「スーパータンカー」のカラーリングでモハベにストアされている。

━━━━━ 森林火災消火に活躍した元JALのダッシュ400 ━━━━━

[Evergreen International Airlines]
Boeing 747-446[BCF](N744ST)

初代「スーパータンカー」が引退した後も、各地で大規模森林火災は続いた。そこで登場したのが2代目のジャンボ・エアタンカーとなる「グローバル・スーパータンカー」だ。しかもこの機体は元JALのJA8086である。2012年にエバーグリーン・インターナショナルが取得したが、翌年に同社は倒産。そこで、「グローバル・スーパータンカー」を所有する投資家グループ、GSTS（Global Super Tanker Services）が同機のオーナーとなった。

新型の「グローバル・スーパータンカー」は、消火剤や水を2万リットルまで投下することができたが、FAAの規定で19,200リットルまでに搭載制限され、さらにその後、上限は17,500リットルとなった。それでもイリューシンIL-76が最大11,574リットル、DC-10が9,400リットルであることを考えると「グローバル・スーパータンカー」の凄さが分かる。

そして、世界最大の「グローバル・スーパータンカー」は、米国国内だけでなく、チリやボリビアなど南米でも消火作業に活躍した。例えば、2020年春から2021年初めまでの出動状況を見ると、特に8月、9月の件数

が多く、それぞれの月でフライト数は50回以上、飛行時間も50時間程度となっている。6月、7月、10月のフライト数が15回に満たなかったことを考えると、夏場は大規模な森林火災が多いのだろう。

そんな「グローバル・スーパータンカー」も、2021年初めには引退。残念ながら現在はジャンボの「エアタンカー」は存在しない。もっとも、引退した「グローバル・スーパータンカー」は砂漠などにストアされることなく、2021年9月からはナショナル航空の貨物機（N936CA）として、新型コロナ禍のなかで貨物輸送に従事している。30周年記念のスペシャルカラーとなった同機は、「グローバル・スーパータンカー」時代のカラーリングを残したまま飛んでおり、成田やセントレアなどにも飛来している。

現在は通常の貨物機として日本にも飛来することがある元N744STのN936CA。

元JALのJA8086で、空中消火機に改造されたN744ST。

エアバスA380

CFMIのオープンローター、テストベッド機

[Airbus]
Airbus A380-841

　2021年に生産を終了したエアバスの超大型機A380。新型コロナの感染拡大により大型機需要が急減したことでリタイヤが相次いだA380だが、2023年初頭の時点でアクティブな機体は133機で、既に半分近くがリタイヤしたことになる。ライバルの747も2022年に生産が終了しており、もはや超大型機の時代は終わったとも言われている。A380もあとは砂漠で朽ちていくだけの運命か……。いや、少なくとも2機のA380は未来への懸け橋となる予定だ。

　その一つがGEとサフランの共同出資会社であるCFMIが開発しているオープンローターの飛行実証機だ。ターボファンエンジンは、エンジン内を流れない空気とエンジン内を流れる空気の比率である「バイパス比」を大きくすることで燃費を改善してきた。そこでファン・ダクトを無くし、むき出しの大きなファンを装着してバイパス比を大きくしようというのがオープンローターだ。

　CFMIではRISE（Revolutionary Innovation for Sustainable Engines）技術実証プログラムで、バイパス比70：1という、既存のLEAPエンジンの7倍近いバイパス比のオープンローターを、LEAPの後継エンジンとして開発している。このエンジンは、2030年代に登場する次世代の小型機向けで、初期のCFM56よりも燃費が20%近く向上するとのこと。飛行実証では、A380の第2エンジンにオープンローターを搭載する予定だ。また、これに先立ち、GEの747テストベッド機（N747GF）での試験も計画されている。

　飛行実証にはエアバス登録のA380が使われることになるとみられ、この場合、水素航空機開発向けの試験に充当されるMSN001を除いたMSN002またはMSN004が使われる可能性が高い。

第2エンジンにオープンローター・エンジンを搭載したA380実証試験機の想像イラスト。

─ 水素タービン＆水素燃料電池推進システムのテストベッド機 ─

[Airbus]

A380-841（F-WWOW/MSN001）

水素タービン・エンジンを左舷後部に装着したA380の想像イラスト。

　2022年2月、エアバスはA380「ZEROe demonstrator」プログラムを発表した。これはA380の初号機であるMSN001（F-WWOW）を、液体水素を燃料とする水素タービン・エンジンの実証試験機にしようという計画だ。プログラムはエアバスとCFMIの共同プログラムとなり、両社で100名以上の研究者が投入される。

　水素タービン・エンジンはGEの「パスポート」エンジン（ボンバルディアのグローバル7500/8000向けエンジン）をベースにRISEで開発した燃焼器を適用、燃料システムや制御システムを改修する。この水素エンジンをA380のポートサイド（左舷）側の胴体後部に小翼を介して装着する。また、燃料となる液体水素を貯蔵する極低温液体水素タンク（-253度でアルミニウムまたはCFRP製）を胴体後部に搭載、コクピットのスロットルも改修して水素燃料モニターも追加される。実際の飛行試験は2026年までに実施される予定だ。

　さらに11月末の「Airbus Summit 2022」では、MSN001を水素燃料電池推進システムのテストベッド機としても活用することが発表された。エアバスでは自動車向け燃料電池を製造しているドイツのエルリングクリンガーと共同出資で、航空機向け燃料電池を開発するエアロ・スタックを設立している。

　水素燃料電池推進システムは、乗客数100名程度、航続距離は約1,000nm（約1,852km）のターボプロップ機向けで、実証試験にあたっては、前述の「パスポート」エンジンをベースとした水素タービンと同じ場所にシステムが装着される予定となっている。2027〜2028年頃の実証飛行を予定しており、燃料である液体水素については宇宙ロケットで知られるアリアン・グループと提携、トゥールーズのブラニャック空港に施設を設置する計画だ。

実証試験機に充当されることが決まっているMSN001。SAFを使用した実証飛行にも使用されている。

地上で第二の人生を送る「変わり種機」たち

かつては「ジャンボ・ホステル」という施設名だったストックホルムの「ジャンボ・ステイ」。シンガポール航空やパンナムを渡り歩いた747-200B。

タイにあるおしゃれなカフェ
アメリカでは寿司レストランに？

変わり種大型機は必ずしも空を飛んでいるとは限らない。空でのお勤めを終えて地上で余生を送っている機体も少なくない。

そんな中、747を含めて複数機種が余生を送っているのがタイだ。バンコク・スワンナプーム空港近くには、元ユナイテッド航空（N187UA）、元オリエント・タイ（HS-STA）の747を再活用したカフェがある。その名も「747 Café」。機首に「747Café」のタイトルとロゴを入れただけのシンプルな白ジャンボの機内はとてもお洒落なカフェになっている。入場料は120バーツ。また、

北部のシックシックマーケットには施設のシンボルとして元タイ国際航空のHS-TGTがロッキードL-1011（N388LS）とともに鎮座している。

一方、アメリカでは2年ほど前に、アリゾナ州ツーソンにあるマラナ・パナル・エアパークに長くストアされていた元サベナ航空の747-300M（OO-SGC）を活用する寿司レストランの計画が浮上した。取り組んでいるのは元レイセオン社のエンジニアだった日本人の方で、主翼や垂直尾翼が無い胴体だけの寿司レストランになる予定だ。ただし、2023年初頭の段階ではまだ開業していない。

ホテルになったジャンボ
A380でもホテル化計画

ジャンボ機のホテルとして有名なのが、スウェーデン、ストックホルム・アーランダ空港から歩いて15分ほどの場所にある「ジャンボ・ステイ」（当初は「ジャンボ・ホステル」）だ。元々は1976年春にシンガポール航空へデリバリーされた9V-SQEで、その後、パンナムなど複数のエアラインで活躍した。この機体を300万ドルかけてホテルに改装し、2009年1月に営業を開始。

オランダ・スキポール空港近くにあるコレンドン・ビレッジ・ホテルに展示されている元KLMの747-400。宿泊施設ではなく、このホテルのシンボルとして利用されているが、あまりにも巨大な"看板"だ。

33室、76のベッドを備え、かつてのファーストクラスは朝食も食べられるカフェとなっている。料金はスタンダードクラスで1泊9,000円弱〜17,000円程度。

同じホテルでも、施設のシンボルとして有名になったのが、元KLMオランダ航空のPH-BFB。現在はオランダ・スキポール空港近くにあるコレンドン・ビレッジ・ホテルの中庭にコレンドン・カラーとなって置かれている。

さらに、フランスのトゥールーズ・ブラニャック空港近くでは、A380をホテルにしようという「オウベンギュ（Envergure＝「翼幅」という意味）」と呼ばれるプロジェクトが進んでいる。開業予定は2024年頃で、計画では2階建ての機内に31室を設け、うち2室はスイートルームとする予定だ。エアバス本社があるトゥールーズだけに、航空ファンにとっては期待が高まる計画である。

アメリカでは個人住宅に
747の翼を屋根に活用

一方、富裕層が多いことで知られるカリフォルニア州のマリブ、ベンチュラ郡には、747の主翼と水平尾翼を使ったユニークな住居がある。「747ウイングハウス」と呼ばれるこの家は、建築家のデビッド・ハーツ氏が、この地域の素晴らしい景色を妨げないコンセプトの家を建てたいとして誕生した。片持ち梁構造の主翼や水平尾翼を浮き屋根として使うことで、家の柱を不要とし、必要となる壁枚数も減らして視界を妨げるものを廃した設計だ。メインハウスには主翼、寝室と浴室には水平尾翼を浮き屋根として使っている。主翼と尾翼は1970年4月にトランスワールド航空に引き渡されたN93106のもので、その後、タワーエア

「Projet ENVERGURE」（ProjetはProjectの仏語）のWEBサイトに掲載されているA380を利用したホテルの想像イラスト。

米国カリフォルニア州にある「ウイングハウス」は建築家が建てた個人住宅。747の巨大な主翼と水平尾翼が屋根として使われている。

で使われていた機体だ。ハーツ氏はこのジャンボを3万ドルで購入した。

このほか、元パンナム機（N747PA）でナイジェリアのカボエアやアルゼンチンのアエロポスタルでも使われていた747が、ソウルの東に位置する南楊州市で10年以上前にレストランとして使われていた。エアフォース・ワンのようなカラーリングに「Jumbo 747」のタイトル、尾翼には星のマークが描かれ、機首にはパンナムで知られる「ファン・トリップ」の名前も書かれていたが、写真を見る限り機体はかなり汚れていた。この謎めいた747のレストランは、その後、機首部と尾部が同じ南楊州市の教会に設置されたが、現在、同地は公園となっていてジャンボ機の姿を確認することはできない。

ちなみに成田空港に隣接する航空科学博物館にある747の機首は、一見すると初号機RA001のように見えるが、実際は元のノースウエスト航空のN642NWだ。

日本のエアラインに所属した ボーイング747全機リスト

日本の航空会社に在籍するジャンボは、2014年にANAのボーイング747-400が退役したのを最後に旅客型が姿を消し、現在は日本貨物航空がフレイターの747-8Fを8機運航するのみとなった。
しかし、急増する航空需要に空港施設の整備が追いつかず、1便で大量の旅客を輸送する必要があったかつての日本は「ジャンボ王国」。
国内線でもジャンボを多数運航する稀有な国だった日本のためにボーイングが短距離型の747SRや747-400Dを開発したことはよく知られているが、当然ながら国際線でも主力機として活躍し、中でも日本航空は108機を発注して世界一のジャンボオペレーターとなった。
15〜20年ほど前までは、羽田空港や成田空港にジャンボの巨体がずらりと並んでいたのだ。
そんな「ジャンボ王国」を彩った全182機のフォトアルバム。

写真=チャーリィ古庄、松広清、阿施光南、佐藤言夫、小久保陽一、AKI archive、Ikaros archive

※新規登録の日付が古い順に掲載。JA8151とJA8937は同一機体（抹消後に再登録）。
※掲載写真は最終運航会社のものとは限らない。

[登録記号] JA8101　　　　[型式] Boeing747-146
[製造番号] 19725/31　　　[最終運航会社] 日本航空
[新規登録年月日] 1970/04/22　[抹消登録年月日] 1992/06/09

[登録記号] JA8102　　　　[型式] Boeing747-146
[製造番号] 19726/51　　　[最終運航会社] 日本航空
[新規登録年月日] 1970/05/28　[抹消登録年月日] 1992/06/03

[登録記号] JA8103　　　　[型式] Boeing747-146
[製造番号] 19727/54　　　[最終運航会社] 日本アジア航空
[新規登録年月日] 1970/06/26　[抹消登録年月日] 1992/12/22

[登録記号] JA8104　　　　[型式] Boeing747-246B
[製造番号] 19823/116　　　[最終運航会社] 日本航空
[新規登録年月日] 1971/02/11　[抹消登録年月日] 2000/08/31

[登録記号] JA8105　　　　[型式] Boeing747-246B
[製造番号] 19824/122　　　[最終運航会社] 日本航空
[新規登録年月日] 1971/03/01　[抹消登録年月日] 1999/06/28

[登録記号] JA8106　　　　[型式] Boeing747-246B
[製造番号] 19825/137　　　[最終運航会社] 日本航空
[新規登録年月日] 1971/05/14　[抹消登録年月日] 1999/03/31

[登録記号] JA8107　　　　[型式] Boeing747-146（SF）
[製造番号] 20332/161　　　[最終運航会社] 日本航空
[新規登録年月日] 1971/10/28　[抹消登録年月日] 1992/06/24

[登録記号] JA8108　　　　[型式] Boeing747-246B
[製造番号] 20333/166　　　[最終運航会社] 日本航空
[新規登録年月日] 1971/11/30　[抹消登録年月日] 1999/12/15

[登録記号] JA8109　　　　[型式] Boeing747-246B
[製造番号] 20503/180　　　[最終運航会社] 日本航空
[新規登録年月日] 1972/03/02　[抹消登録年月日] 1973/01/24

[登録記号] JA8110　　　　[型式] Boeing747-246B
[製造番号] 20504/181　　　[最終運航会社] 日本航空
[新規登録年月日] 1972/03/13　[抹消登録年月日] 1999/12/10

[登録記号] JA8111　　　　　　[型式] Boeing747-246B
[製造番号] 20505/182　　　　[最終運航会社] JALウェイズ
[新規登録年月日] 1972/03/21　[抹消登録年月日] 2001/06/26

[登録記号] JA8112　　　　　　[型式] Boeing747-146
[製造番号] 20528/191　　　　[最終運航会社] 日本航空
[新規登録年月日] 1972/06/14　[抹消登録年月日] 1993/06/22

[登録記号] JA8113　　　　　　[型式] Boeing747-246B
[製造番号] 20529/192　　　　[最終運航会社] 日本航空
[新規登録年月日] 1972/06/30　[抹消登録年月日] 1999/01/29

[登録記号] JA8115　　　　　　[型式] Boeing747-146
[製造番号] 20531/197　　　　[最終運航会社] 日本航空
[新規登録年月日] 1972/10/04　[抹消登録年月日] 1999/04/27

[登録記号] JA8114　　　　　　[型式] Boeing747-246B
[製造番号] 20530/196　　　　[最終運航会社] 日本航空
[新規登録年月日] 1972/11/03　[抹消登録年月日] 2001/11/02

[登録記号] JA8116　　　　　　[型式] Boeing747-146
[製造番号] 20532/199　　　　[最終運航会社] 日本航空
[新規登録年月日] 1972/12/08　[抹消登録年月日] 2002/02/01

[登録記号] JA8117　　　　　　[型式] Boeing747SR-46
[製造番号] 20781/221　　　　[最終運航会社] 日本航空
[新規登録年月日] 1973/09/26　[抹消登録年月日] 1988/04/15

[登録記号] JA8118　　　　　　[型式] Boeing747SR-46
[製造番号] 20782/229　　　　[最終運航会社] 日本航空
[新規登録年月日] 1973/12/21　[抹消登録年月日] 1988/04/01

[登録記号] JA8119　　　　　　[型式] Boeing747SR-46
[製造番号] 20783/230　　　　[最終運航会社] 日本航空
[新規登録年月日] 1974/02/19　[抹消登録年月日] 1985/08/19

[登録記号] JA8120　　　　　　[型式] Boeing747SR-46
[製造番号] 20784/231　　　　[最終運航会社] 日本航空
[新規登録年月日] 1974/02/20　[抹消登録年月日] 1990/04/10

［登録記号］JA8121　［型式］Boeing747SR-46
［製造番号］20923/234　［最終運航会社］日本航空
［新規登録年月日］1974/03/28　［抹消登録年月日］1990/05/19

［登録記号］JA8122　［型式］Boeing747-246B
［製造番号］20924/235　［最終運航会社］日本航空
［新規登録年月日］1974/03/29　［抹消登録年月日］1996/01/31

［登録記号］JA8123　［型式］Boeing747-246F
［製造番号］21034/243　［最終運航会社］日本航空
［新規登録年月日］1974/09/17　［抹消登録年月日］2002/04/17

［登録記号］JA8124　［型式］Boeing747SR-46
［製造番号］21032/249　［最終運航会社］日本航空
［新規登録年月日］1974/11/22　［抹消登録年月日］1994/03/17

［登録記号］JA8125　［型式］Boeing747-246B
［製造番号］21030/251　［最終運航会社］日本航空
［新規登録年月日］1974/12/17　［抹消登録年月日］1997/12/17

［登録記号］JA8126　［型式］Boeing747SR-46
［製造番号］21033/254　［最終運航会社］日本航空
［新規登録年月日］1975/04/02　［抹消登録年月日］1990/12/19

［登録記号］JA8127　［型式］Boeing747-246B
［製造番号］21031/255　［最終運航会社］日本航空
［新規登録年月日］1975/05/16　［抹消登録年月日］2004/01/14

［登録記号］JA8128　［型式］Boeing747-146
［製造番号］21029/259　［最終運航会社］JALウェイズ
［新規登録年月日］1975/06/26　［抹消登録年月日］2003/08/05

［登録記号］JA8134　［型式］Boeing747SR-81
［製造番号］21605/351　［最終運航会社］全日本空輸
［新規登録年月日］1978/12/21　［抹消登録年月日］1995/02/23

［登録記号］JA8133　［型式］Boeing747SR-81
［製造番号］21604/346　［最終運航会社］全日本空輸
［新規登録年月日］1978/12/22　［抹消登録年月日］1994/12/15

[登録記号] JA8135　　　　[型式] Boeing747SR-81
[製造番号] 21606/360　　　[最終運航会社] 全日本空輸
[新規登録年月日] 1979/03/01　[抹消登録年月日] 1999/11/10

[登録記号] JA8129　　　　[型式] Boeing747-246B
[製造番号] 21678/361　　　[最終運航会社] 日本アジア航空
[新規登録年月日] 1979/03/07　[抹消登録年月日] 2003/12/12

[登録記号] JA8130　　　　[型式] Boeing747-246B
[製造番号] 21679/376　　　[最終運航会社] 日本アジア航空
[新規登録年月日] 1979/06/15　[抹消登録年月日] 2005/10/18

[登録記号] JA8131　　　　[型式] Boeing747-246B
[製造番号] 21680/380　　　[最終運航会社] 日本航空
[新規登録年月日] 1979/06/29　[抹消登録年月日] 2007/03/19

[登録記号] JA8132　　　　[型式] Boeing747-246F
[製造番号] 21681/382　　　[最終運航会社] 日本航空
[新規登録年月日] 1979/07/28　[抹消登録年月日] 2006/03/28

[登録記号] JA8137　　　　[型式] Boeing747SR-81
[製造番号] 21923/395　　　[最終運航会社] 全日本空輸
[新規登録年月日] 1979/09/06　[抹消登録年月日] 1999/02/10

[登録記号] JA8136　　　　[型式] Boeing747SR-81
[製造番号] 21922/393　　　[最終運航会社] 全日本空輸
[新規登録年月日] 1979/10/11　[抹消登録年月日] 1999/01/18

[登録記号] JA8140　　　　[型式] Boeing747-246B
[製造番号] 22064/407　　　[最終運航会社] 日本航空
[新規登録年月日] 1979/11/09　[抹消登録年月日] 2005/09/27

[登録記号] JA8141　　　　[型式] Boeing747-246B
[製造番号] 22065/411　　　[最終運航会社] 日本航空
[新規登録年月日] 1979/12/04　[抹消登録年月日] 2007/05/01

[登録記号] JA8138　　　　[型式] Boeing747SR-81
[製造番号] 21924/420　　　[最終運航会社] 全日本空輸
[新規登録年月日] 1980/01/17　[抹消登録年月日] 2001/10/18

[登録記号] JA8142 [型式] Boeing747-146B/SR
[製造番号] 22066/426 [最終運航会社] 日本航空
[新規登録年月日] 1980/02/01 [抹消登録年月日] 1998/04/02

[登録記号] JA8143 [型式] Boeing747-146B/SR
[製造番号] 022067/427 [最終運航会社] 日本航空
[新規登録年月日] 1980/02/15 [抹消登録年月日] 1998/12/16

[登録記号] JA8139 [型式] Boeing747SR-81
[製造番号] 21925/422 [最終運航会社] 全日本空輸
[新規登録年月日] 1980/02/18 [抹消登録年月日] 2002/02/28

[登録記号] JA8144 [型式] Boeing747-246F
[製造番号] 22063/432 [最終運航会社] 日本航空
[新規登録年月日] 1980/03/18 [抹消登録年月日] 1995/04/20

[登録記号] JA8145 [型式] Boeing747SR-81
[製造番号] 22291/453 [最終運航会社] 全日本空輸
[新規登録年月日] 1980/05/19 [抹消登録年月日] 2002/09/20

[登録記号] JA8146 [型式] Boeing747SR-81
[製造番号] 22292/456 [最終運航会社] 全日本空輸
[新規登録年月日] 1980/06/17 [抹消登録年月日] 2003/07/30

[登録記号] JA8147 [型式] Boeing747SR-81
[製造番号] 22293/477 [最終運航会社] 全日本空輸
[新規登録年月日] 1980/11/26 [抹消登録年月日] 2004/05/11

[登録記号] JA8148 [型式] Boeing747SR-81
[製造番号] 22294/481 [最終運航会社] 全日本空輸
[新規登録年月日] 1980/11/26 [抹消登録年月日] 2004/11/16

[登録記号] JA8149 [型式] Boeing747-246B
[製造番号] 22478/489 [最終運航会社] JALウェイズ
[新規登録年月日] 1981/03/16 [抹消登録年月日] 2003/12/15

[登録記号] JA8150 [型式] Boeing747-246B
[製造番号] 022479/496 [最終運航会社] JALウェイズ
[新規登録年月日] 1981/03/20 [抹消登録年月日] 2007/12/17

[登録記号] JA8151（後のJA8937） [型式] Boeing747-246F
[製造番号] 22477/494 [最終運航会社] 日本航空
[新規登録年月日] 1981/04/16 [抹消登録年月日] 1994/08/25

[登録記号] JA8153 [型式] Boeing747SR-81
[製造番号] 22595/516 [最終運航会社] 全日本空輸
[新規登録年月日] 1981/05/29 [抹消登録年月日] 2004/10/29

[登録記号] JA8152 [型式] Boeing747SR-81
[製造番号] 22594/511 [最終運航会社] 全日本空輸
[新規登録年月日] 1981/06/30 [抹消登録年月日] 2004/09/28

[登録記号] JA8154 [型式] Boeing747-246B
[製造番号] 22745/547 [最終運航会社] 日本アジア航空
[新規登録年月日] 1981/11/18 [抹消登録年月日] 2006/03/31

[登録記号] JA8155 [型式] Boeing747-246B
[製造番号] 22746/548 [最終運航会社] 日本アジア航空
[新規登録年月日] 1981/12/16 [抹消登録年月日] 2006/11/27

[登録記号] JA8158 [型式] Boeing747SR-81 (SF)
[製造番号] 22711/559 [最終運航会社] 日本貨物航空（ANAより転籍）
[新規登録年月日] 1982/06/18 [抹消登録年月日] 02006/02/17

[登録記号] JA8157 [型式] Boeing747SR-81
[製造番号] 22710/544 [最終運航会社] 全日本空輸
[新規登録年月日] 1982/06/25 [抹消登録年月日] 2006/03/27

[登録記号] JA8156 [型式] Boeing747SR-81
[製造番号] 22709/541 [最終運航会社] 全日本空輸
[新規登録年月日] 1982/07/15 [抹消登録年月日] 2004/07/15

[登録記号] JA8160 [型式] Boeing747-221F
[製造番号] 21744/392 [最終運航会社] 日本航空
[新規登録年月日] 1982/10/30 [抹消登録年月日] 2007/09/14

[登録記号] JA811J [型式] Boeing747-246F
[製造番号] 22989/571 [最終運航会社] 日本航空
[新規登録年月日] 1982/12/15 [抹消登録年月日] 2008/11/13

[登録記号] JA8162　　　　　[型式] Boeing747-246B
[製造番号] 22991/581　　　[最終運航会社] 日本航空
[新規登録年月日] 1983/06/07　[抹消登録年月日] 2007/04/18

[登録記号] JA8161　　　　　[型式] Boeing747-246B（SF）
[製造番号] 22990/579　　　[最終運航会社] 日本航空
[新規登録年月日] 1983/06/17　[抹消登録年月日] 2007/04/17

[登録記号] JA8159　　　　　[型式] Boeing747SR-81
[製造番号] 22712/572　　　[最終運航会社] 全日本空輸
[新規登録年月日] 1983/07/12　[抹消登録年月日] 2005/05/24

[登録記号] JA812J（元N212JL）[型式] Boeing747-346
[製造番号] 23067/588　　　[最終運航会社] 日本航空
[新規登録年月日] 1983/11/30　[抹消登録年月日] 2009/10/16

[登録記号] JA813J（元N213JL）[型式] Boeing747-346
[製造番号] 23068/589　　　[最終運航会社] 日本航空
[新規登録年月日] 1983/12/09　[抹消登録年月日] 2010/01/15

[登録記号] JA8165　　　　　[型式] Boeing747-221F
[製造番号] 21743/384　　　[最終運航会社] 日本航空
[新規登録年月日] 1983/12/21　[抹消登録年月日] 2007/05/01

[登録記号] JA8164　　　　　[型式] Boeing747-146B/SR
[製造番号] 23150/601　　　[最終運航会社] 日本航空
[新規登録年月日] 1984/12/05　[抹消登録年月日] 2005/12/19

[登録記号] JA8163　　　　　[型式] Boeing747-346
[製造番号] 23149/599　　　[最終運航会社] 日本航空
[新規登録年月日] 1984/12/07　[抹消登録年月日] 2008/05/26

[登録記号] JA8167　　　　　[型式] Boeing747-281F
[製造番号] 23138/604　　　[最終運航会社] 日本貨物航空
[新規登録年月日] 1984/12/14　[抹消登録年月日] 2006/09/01

[登録記号] JA8166　　　　　[型式] Boeing747-346
[製造番号] 23151/607　　　[最終運航会社] 日本航空
[新規登録年月日] 1985/02/05　[抹消登録年月日] 2009/09/18

[登録記号] JA8168　　　　[型式] Boeing747-281F
[製造番号] 23139/608　　[最終運航会社] 日本貨物航空
[新規登録年月日] 1985/03/01　[抹消登録年月日] 2006/04/24

[登録記号] JA8172　　　　[型式] Boeing747-281F
[製造番号] 23350/623　　[最終運航会社] 日本貨物航空
[新規登録年月日] 1985/10/16　[抹消登録年月日] 2007/11/30

[登録記号] JA8169　　　　[型式] Boeing747-246B（SF）
[製造番号] 23389/635　　[最終運航会社] 日本航空
[新規登録年月日] 1986/03/20　[抹消登録年月日] 2008/08/14

[登録記号] JA8170　　　　[型式] Boeing747-146B/SUD
[製造番号] 23390/636　　[最終運航会社] 日本航空
[新規登録年月日] 1986/03/25　[抹消登録年月日] 2006/12/01

[登録記号] JA8173　　　　[型式] Boeing747-346
[製造番号] 23482/640　　[最終運航会社] 日本航空
[新規登録年月日] 1986/04/16　[抹消登録年月日] 2007/02/05

[登録記号] JA8174　　　　[型式] Boeing747-281B
[製造番号] 23501/648　　[最終運航会社] 全日本空輸
[新規登録年月日] 1986/06/26　[抹消登録年月日] 2005/11/24

[登録記号] JA8175　　　　[型式] Boeing747-281B
[製造番号] 23502/649　　[最終運航会社] 全日本空輸
[新規登録年月日] 1986/07/03　[抹消登録年月日] 2006/02/02

[登録記号] JA8171　　　　[型式] Boeing747-246F
[製造番号] 23391/654　　[最終運航会社] 日本航空
[新規登録年月日] 1986/08/29　[抹消登録年月日] 2009/10/19

[登録記号] JA8176　　　　[型式] Boeing747-146B/SUD
[製造番号] 23637/655　　[最終運航会社] 日本航空
[新規登録年月日] 1986/09/10　[抹消登録年月日] 2006/04/20

[登録記号] JA8177　　　　[型式] Boeing747-346
[製造番号] 23638/658　　[最終運航会社] 日本航空
[新規登録年月日] 1986/10/03　[抹消登録年月日] 2009/07/27

[登録記号] JA8178　　　　[型式] Boeing747-346
[製造番号] 23639/664　　[最終運航会社] 日本航空
[新規登録年月日] 1986/12/16　　[抹消登録年月日] 2006/09/29

[登録記号] JA8179　　　　[型式] Boeing747-346
[製造番号] 23640/668　　[最終運航会社] 日本航空
[新規登録年月日] 1987/02/06　　[抹消登録年月日] 2007/07/23

[登録記号] JA8180　　　　[型式] Boeing747-246F
[製造番号] 23641/684　　[最終運航会社] 日本航空
[新規登録年月日] 1987/08/12　　[抹消登録年月日] 2008/05/16

[登録記号] JA8188　　　　[型式] Boeing747-281F
[製造番号] 23919/689　　[最終運航会社] 日本貨物航空
[新規登録年月日] 1988/01/27　　[抹消登録年月日] 2008/02/18

[登録記号] JA8186　　　　[型式] Boeing747-346SR
[製造番号] 24018/694　　[最終運航会社] 日本航空
[新規登録年月日] 1988/02/10　　[抹消登録年月日] 2008/10/29

[登録記号] JA8181　　　　[型式] Boeing747-281B（SF）
[製造番号] 23698/667　　[最終運航会社] 日本貨物航空（ANAより転籍）
[新規登録年月日] 1986/12/23　　[抹消登録年月日] 2008/03/31

[登録記号] JA8182　　[型式] Boeing747-281B（SF）
[製造番号] 23813/683　　[最終運航会社] 日本貨物航空（ANAより転籍）
[新規登録年月日] 1987/07/14　　[抹消登録年月日] 2008/03/31

[登録記号] JA8183　　　　[型式] Boeing747-346SR
[製造番号] 23967/692　　[最終運航会社] 日本航空
[新規登録年月日] 1987/12/11　　[抹消登録年月日] 2009/08/20

[登録記号] JA8184　　　　[型式] Boeing747-346SR
[製造番号] 23968/693　　[最終運航会社] 日本航空
[新規登録年月日] 1988/01/29　　[抹消登録年月日] 2008/11/12

[登録記号] JA8187　　　　[型式] Boeing747-346SR
[製造番号] 24019/695　　[最終運航会社] JALウェイズ
[新規登録年月日] 1988/02/22　　[抹消登録年月日] 2007/07/04

[登録記号] JA8185　　　　　[型式] Boeing747-346
[製造番号] 23969/691　　　[最終運航会社] 日本航空
[新規登録年月日] 1988/03/08　[抹消登録年月日] 2009/11/11

[登録記号] JA8189　　　　　[型式] Boeing747-346
[製造番号] 24156/716　　　[最終運航会社] 日本アジア航空
[新規登録年月日] 1988/10/19　[抹消登録年月日] 2007/07/23

[登録記号] JA8190　　　　　[型式] Boeing747-281B（SF）
[製造番号] 24399/750　　　[最終運航会社] 日本貨物航空（ANAより転籍）
[新規登録年月日] 1989/08/11　[抹消登録年月日] 2008/03/31

[登録記号] JA8071　　　　　[型式] Boeing747-446
[製造番号] 24423/758　　　[最終運航会社] 日本航空
[新規登録年月日] 1990/01/26　[抹消登録年月日] 2010/09/16

[登録記号] JA8072　　　　　[型式] Boeing747-446(BCF)
[製造番号] 24424/760　　　[最終運航会社] 日本航空
[新規登録年月日] 1990/01/26　[抹消登録年月日] 2010/01/14

[登録記号] JA8073　　　　　[型式] Boeing747-446
[製造番号] 24425/767　　　[最終運航会社] 日本航空
[新規登録年月日] 1990/02/20　[抹消登録年月日] 2010/10/19

[登録記号] JA8074　　　　　[型式] Boeing747-446
[製造番号] 24426/768　　　[最終運航会社] 日本航空
[新規登録年月日] 1990/02/27　[抹消登録年月日] 2010/10/27

[登録記号] JA8075　　　　　[型式] Boeing747-446
[製造番号] 24427/780　　　[最終運航会社] 日本航空
[新規登録年月日] 1990/03/31　[抹消登録年月日] 2010/09/21

[登録記号] JA8076　　　　　[型式] Boeing747-446
[製造番号] 24777/797　　　[最終運航会社] 日本航空
[新規登録年月日] 1990/07/11　[抹消登録年月日] 2010/10/13

[登録記号] JA8077　　　　　[型式] Boeing747-446
[製造番号] 24784/798　　　[最終運航会社] 日本航空
[新規登録年月日] 1990/07/11　[抹消登録年月日] 2011/04/12

[登録記号] JA8094
[製造番号] 24801/805
[新規登録年月日] 1990/08/29

[型式] Boeing747-481
[最終運航会社] 全日本空輸
[抹消登録年月日] 2007/04/17

[登録記号] JA8095
[製造番号] 24833/812
[新規登録年月日] 1990/10/11

[型式] Boeing747-481
[最終運航会社] 全日本空輸
[抹消登録年月日] 2008/04/11

[登録記号] JA8191
[製造番号] 24576/818
[新規登録年月日] 1990/11/07

[型式] Boeing747-281F
[最終運航会社] 日本貨物航空
[抹消登録年月日] 2007/01/25

[登録記号] JA8192
[製造番号] 22579/514
[新規登録年月日] 1990/11/15

[型式] Boeing747-2D3B（SF）
[最終運航会社] 日本貨物航空(ANAより転籍)
[抹消登録年月日] 2007/04/03

[登録記号] JA8078
[製造番号] 24870/821
[新規登録年月日] 1990/11/20

[型式] Boeing747-446
[最終運航会社] 日本航空
[抹消登録年月日] 2010/11/30

[登録記号] JA8079
[製造番号] 24885/824
[新規登録年月日] 1990/12/06

[型式] Boeing747-446
[最終運航会社] 日本航空
[抹消登録年月日] 2010/11/25

[登録記号] JA8080
[製造番号] 24886/825
[新規登録年月日] 1990/12/13

[型式] Boeing747-446
[最終運航会社] 日本航空
[抹消登録年月日] 2010/05/27

[登録記号] JA8096
[製造番号] 24920/832
[新規登録年月日] 1991/02/06

[型式] Boeing747-481
[最終運航会社] 全日本空輸
[抹消登録年月日] 2009/07/24

[登録記号] JA8081
[製造番号] 25064/851
[新規登録年月日] 1991/05/14

[型式] Boeing747-44
[最終運航会社] 日本航空
[抹消登録年月日] 2011/05/30

[登録記号] JA8193
[製造番号] 21940/457
[新規登録年月日] 1991/06/25

[型式] Boeing747-212B（SF）
[最終運航会社] 日本航空
[抹消登録年月日] 2008/01/04

[登録記号] JA8097　　[型式] Boeing747-481
[製造番号] 25135/863　　[最終運航会社] 全日本空輸
[新規登録年月日] 1991/07/12　　[抹消登録年月日] 2009/10/09

[登録記号] JA8098　　[型式] Boeing747-481
[製造番号] 25207/870　　[最終運航会社] 全日本空輸
[新規登録年月日] 1991/08/22　　[抹消登録年月日] 2010/12/09

[登録記号] JA8082　　[型式] Boeing747-446
[製造番号] 25212/871　　[最終運航会社] 日本航空
[新規登録年月日] 1991/08/28　　[抹消登録年月日] 2010/12/09

[登録記号] JA8091（自衛隊機体番号20-1101）
[型式] Boeing747-47C　　[製造番号] 24730/816
[最終運航会社]（航空自衛隊・政府専用機/JAナンバー抹消前＝総理府）
[新規登録年月日] 1991/09/18　　[抹消登録年月日] 1992/04/10

[登録記号] JA8085　　[型式] Boeing747-446
[製造番号] 25260/876　　[最終運航会社] 日本航空
[新規登録年月日] 1991/09/25　　[抹消登録年月日] 2011/01/07

[登録記号] JA8083　　[型式] Boeing747-446D
[製造番号] 25213/844　　[最終運航会社] 日本航空
[新規登録年月日] 1991/10/11　　[抹消登録年月日] 2010/10/15

[登録記号] JA8084　　[型式] Boeing747-446D
[製造番号] 25214/879　　[最終運航会社] 日本航空
[新規登録年月日] 1991/10/15　　[抹消登録年月日] 2011/03/15

[登録記号] JA8086　　[型式] Boeing747-446
[製造番号] 25308/885　　[最終運航会社] 日本航空
[新規登録年月日] 1991/11/11　　[抹消登録年月日] 2010/10/01

[登録記号] JA8092（自衛隊機体番号20-1102）
[型式] Boeing747-47C　　[製造番号] 24731/839
[最終運航会社]（航空自衛隊・政府専用機/JAナンバー抹消前＝総理府）
[新規登録年月日] 1991/11/19　　[抹消登録年月日] 1992/04/10

[登録記号] JA8194　　[型式] Boeing747-281F
[製造番号] 25171/886　　[最終運航会社] 日本貨物航空
[新規登録年月日] 1991/11/20　　[抹消登録年月日] 2007/01/30

［登録記号］JA8099　　　　　［型式］Boeing747-481D
［製造番号］25292/891　　　　［最終運航会社］全日本空輸
［新規登録年月日］1992/01/14　［抹消登録年月日］2012/05/07

［登録記号］JA8087　　　　　［型式］Boeing747-446
［製造番号］26346/897　　　　［最終運航会社］日本航空
［新規登録年月日］1992/02/19　［抹消登録年月日］2011/03/16

［登録記号］JA8088　　　　　［型式］Boeing747-446
［製造番号］26341/902　　　　［最終運航会社］日本航空
［新規登録年月日］1992/02/25　［抹消登録年月日］2011/05/30

［登録記号］JA8089　　　　　［型式］Boeing747-446
［製造番号］26342/905　　　　［最終運航会社］日本航空
［新規登録年月日］1992/03/12　［抹消登録年月日］2011/06/29

［登録記号］JA8090　　　　　［型式］Boeing747-446D
［製造番号］26347/907　　　　［最終運航会社］日本航空
［新規登録年月日］1992/03/27　［抹消登録年月日］2010/06/10

［登録記号］JA8955　　　　　［型式］Boeing747-481D
［製造番号］25639/914　　　　［最終運航会社］全日本空輸
［新規登録年月日］1992/05/13　［抹消登録年月日］2008/11/26

［登録記号］JA8901　　　　　［型式］Boeing747-446
［製造番号］26343/918　　　　［最終運航会社］日本航空
［新規登録年月日］1992/06/02　［抹消登録年月日］2010/09/17

［登録記号］JA8956　　　　　［型式］Boeing747-481D
［製造番号］25640/920　　　　［最終運航会社］全日本空輸
［新規登録年月日］1992/06/10　［抹消登録年月日］2012/12/14

［登録記号］JA8957　　　　　［型式］Boeing747-481D
［製造番号］25642/927　　　　［最終運航会社］全日本空輸
［新規登録年月日］1992/07/16　［抹消登録年月日］2013/10/28

［登録記号］JA8958　　　　　［型式］Boeing747-481
［製造番号］25641/928　　　　［最終運航会社］全日本空輸
［新規登録年月日］1992/08/12　［抹消登録年月日］2011/05/26

[登録記号] JA8902　　　　　　[型式] Boeing747-446(BCF)
[製造番号] 26344/929　　　　　[最終運航会社] 日本航空
[新規登録年月日] 1992/08/20　　[抹消登録年月日] 2011/01/20

[登録記号] JA8903　　　　　　[型式] Boeing747-446D
[製造番号] 26345/935　　　　　[最終運航会社] 日本航空
[新規登録年月日] 1992/09/16　　[抹消登録年月日] 2010/11/02

[登録記号] JA8904　　　　　　[型式] Boeing747-446D
[製造番号] 26348/941　　　　　[最終運航会社] 日本航空
[新規登録年月日] 1992/11/04　　[抹消登録年月日] 2010/06/24

[登録記号] JA8905　　　　　　[型式] Boeing747-446D
[製造番号] 26349/948　　　　　[最終運航会社] 日本航空
[新規登録年月日] 1992/12/02　　[抹消登録年月日] 2010/07/15

[登録記号] JA8959　　　　　　[型式] Boeing747-481D
[製造番号] 25646/952　　　　　[最終運航会社] 全日本空輸
[新規登録年月日] 1993/01/12　　[抹消登録年月日] 2012/10/15

[登録記号] JA8906　　　　　　[型式] Boeing747-446(BCF)
[製造番号] 26350/961　　　　　[最終運航会社] 日本航空
[新規登録年月日] 1993/03/02　　[抹消登録年月日] 2010/11/17

[登録記号] JA8907　　　　　　[型式] Boeing747-446D
[製造番号] 26351/963　　　　　[最終運航会社] 日本航空
[新規登録年月日] 1993/03/03　　[抹消登録年月日] 2010/08/02

[登録記号] JA8960　　　　　　[型式] Boeing747-481D
[製造番号] 25643/972　　　　　[最終運航会社] 全日本空輸
[新規登録年月日] 1993/05/12　　[抹消登録年月日] 2014/03/31

[登録記号] JA8961　　　　　　[型式] Boeing747-481D
[製造番号] 25644/975　　　　　[最終運航会社] 全日本空輸
[新規登録年月日] 1993/05/14　　[抹消登録年月日] 2014/04/18

[登録記号] JA8908　　　　　　[型式] Boeing747-446D
[製造番号] 26352/978　　　　　[最終運航会社] 日本航空
[新規登録年月日] 1993/06/02　　[抹消登録年月日] 2010/12/15

[登録記号] JA8962
[製造番号] 25645/979
[新規登録年月日] 1993/06/04
[型式] Boeing747-481
[最終運航会社] 全日本空輸
[抹消登録年月日] 2011/01/25

[登録記号] JA8909
[製造番号] 26353/980
[新規登録年月日] 1993/06/08
[型式] Boeing747-446(BCF)
[最終運航会社] 日本航空
[抹消登録年月日] 2010/12/06

[登録記号] JA8963
[製造番号] 25647/991
[新規登録年月日] 1993/09/01
[型式] Boeing747-481D
[最終運航会社] 全日本空輸
[抹消登録年月日] 2011/08/03

[登録記号] JA8964
[製造番号] 27163/996
[新規登録年月日] 1994/03/25
[型式] Boeing747-481D
[最終運航会社] 全日本空輸
[抹消登録年月日] 2011/11/16

[登録記号] JA8910
[製造番号] 26355/1024
[新規登録年月日] 1994/03/30
[型式] Boeing747-446
[最終運航会社] 日本航空
[抹消登録年月日] 2010/12/13

[登録記号] JA8911
[製造番号] 26356/1026
[新規登録年月日] 日本航空
[型式] Boeing747-446(BCF)
[最終運航会社] 日本航空
[抹消登録年月日] 2010/12/14

[登録記号] JA8912
[製造番号] 27099/1031
[新規登録年月日] 1994/06/01
[型式] Boeing747-446
[最終運航会社] 日本航空
[抹消登録年月日] 2010/07/14

[登録記号] JA8965
[製造番号] 27436/1060
[新規登録年月日] 1995/04/25
[型式] Boeing747-481D
[最終運航会社] 全日本空輸
[抹消登録年月日] 2013/06/28

[登録記号] JA8966
[製造番号] 27442/1066
[新規登録年月日] 1995/12/12
[型式] Boeing747-481D
[最終運航会社] 全日本空輸
[抹消登録年月日] 2014/01/20

[登録記号] JA401A
[製造番号] 28282/1133
[新規登録年月日] 1997/11/14
[型式] Boeing747-481(D)
[最終運航会社] 全日本空輸
[抹消登録年月日] 2008/07/24

[登録記号] JA402A　　　　[型式] Boeing747-481(D)
[製造番号] 28283/1142　　[最終運航会社] 全日本空輸
[新規登録年月日] 1998/01/30　[抹消登録年月日] 2007/10/02

[登録記号] JA8913　　　　[型式] Boeing747-446
[製造番号] 26359/1153　　[最終運航会社] 日本航空
[新規登録年月日] 1998/05/01　[抹消登録年月日] 2010/06/30

[登録記号] JA8914　　　　[型式] Boeing747-446
[製造番号] 26360/1166　　[最終運航会社] 日本航空
[新規登録年月日] 1998/07/24　[抹消登録年月日] 2010/11/18

[登録記号] JA8915　　　　[型式] Boeing747-446(BCF)
[製造番号] 26361/1188　　[最終運航会社] 日本航空
[新規登録年月日] 1998/12/02　[抹消登録年月日] 2010/12/15

[登録記号] JA8937(元JA8151)　[型式] Boeing747-246F
[製造番号] 22477/494　　　[最終運航会社] 日本航空
[新規登録年月日] 1999/01/13　[抹消登録年月日] 2008/03/14

[登録記号] JA403A　　　　[型式] Boeing747-481
[製造番号] 29262/1199　　[最終運航会社] 全日本空輸
[新規登録年月日] 1999/02/26　[抹消登録年月日] 2008/06/24

[登録記号] JA8916　　　　[型式] Boeing747-446
[製造番号] 26362/1202　　[最終運航会社] 日本航空
[新規登録年月日] 1999/03/19　[抹消登録年月日] 2011/01/24

[登録記号] JA404A　　　　[型式] Boeing747-481
[製造番号] 29263/1204　　[最終運航会社] 全日本空輸
[新規登録年月日] 1999/03/31　[抹消登録年月日] 2007/04/25

[登録記号] JA8917　　　　[型式] Boeing747-446
[製造番号] 29899/1208　　[最終運航会社] 日本航空
[新規登録年月日] 1999/04/21　[抹消登録年月日] 2011/05/17

[登録記号] JA8918　　　　[型式] Boeing747-446
[製造番号] 27650/1234　　[最終運航会社] 日本航空
[新規登録年月日] 1999/11/22　[抹消登録年月日] 2011/06/23

[登録記号] JA8919
[製造番号] 27100/1236
[新規登録年月日] 1999/12/17

[型式] Boeing747-446
[最終運航会社] 日本航空
[抹消登録年月日] 2010/09/16

[登録記号] JA405A
[製造番号] 30322/1250
[新規登録年月日] 2000/06/29

[型式] Boeing747-481
[最終運航会社] 全日本空輸
[抹消登録年月日] 2007/10/31

[登録記号] JA8920
[製造番号] 27648/1253
[新規登録年月日] 2000/08/18

[型式] Boeing747-446
[最終運航会社] 日本航空
[抹消登録年月日] 2011/08/04

[登録記号] JA8921
[製造番号] 27645/1262
[新規登録年月日] 2000/12/20

[型式] Boeing747-446
[最終運航会社] 日本航空
[抹消登録年月日] 2011/03/07

[登録記号] JA8922
[製造番号] 27646/1280
[新規登録年月日] 2001/08/01

[型式] Boeing747-446
[最終運航会社] 日本航空
[抹消登録年月日] 2011/10/19

[登録記号] JA401J
[製造番号] 33748/1351
[新規登録年月日] 2004/10/13

[型式] Boeing747-446F
[最終運航会社] 日本航空
[抹消登録年月日] 2010/11/17

[登録記号] JA402J
[製造番号] 33749/1352
[新規登録年月日] 2004/10/29

[型式] Boeing747-446F
[最終運航会社] 日本航空
[抹消登録年月日] 2010/11/19

[登録記号] JA01KZ
[製造番号] 34016/1360
[新規登録年月日] 2005/06/16

[型式] Boeing747-481F
[最終運航会社] 日本貨物航空
[抹消登録年月日] 2014/08/04

[登録記号] JA02KZ
[製造番号] 34017/1363
[新規登録年月日] 2005/08/26

[型式] Boeing747-481F
[最終運航会社] 日本貨物航空
[抹消登録年月日] 2013/06/06

[登録記号] JA03KZ
[製造番号] 34018/1378
[新規登録年月日] 2006/10/02

[型式] Boeing747-481F
[最終運航会社] 日本貨物航空
[抹消登録年月日] 2014/09/16

［登録記号］JA04KZ　［型式］Boeing747-481F
［製造番号］34283/1384　［最終運航会社］日本貨物航空
［新規登録年月日］2007/03/22　［抹消登録年月日］2017/08/02

［登録記号］JA05KZ　［型式］Boeing747-4KZF
［製造番号］36132/1394　［最終運航会社］日本貨物航空
［新規登録年月日］2007/10/30　［抹消登録年月日］2019/02/19

［登録記号］JA06KZ　［型式］Boeing747-4KZF
［製造番号］36133/1397　［最終運航会社］日本貨物航空
［新規登録年月日］2007/12/21　［抹消登録年月日］2018/11/07

［登録記号］JA07KZ　［型式］Boeing747-4KZF
［製造番号］36134/1405　［最終運航会社］日本貨物航空
［新規登録年月日］2008/05/30　［抹消登録年月日］2016/11/02

［登録記号］JA08KZ　［型式］Boeing747-4KZF
［製造番号］36135/1408　［最終運航会社］日本貨物航空
［新規登録年月日］2008/08/01　［抹消登録年月日］2018/11/08

［登録記号］JA13KZ　［型式］Boeing747-8KZF
［製造番号］36138/1431　［最終運航会社］日本貨物航空
［新規登録年月日］2012/07/26　［抹消登録年月日］現役稼働中

［登録記号］JA12KZ　［型式］Boeing747-8KZF
［製造番号］36137/1422　［最終運航会社］日本貨物航空
［新規登録年月日］2012/12/21　［抹消登録年月日］現役稼働中

［登録記号］JA11KZ　［型式］Boeing747-8KZF
［製造番号］36136/1421　［最終運航会社］日本貨物航空
［新規登録年月日］2013/10/31　［抹消登録年月日］現役稼働中

［登録記号］JA14KZ　［型式］Boeing747-8KZF
［製造番号］37394/1469　［最終運航会社］日本貨物航空
［新規登録年月日］2013/11/19　［抹消登録年月日］現役稼働中

［登録記号］JA15KZ　［型式］Boeing747-8KZF
［製造番号］36139/1479　［最終運航会社］日本貨物航空
［新規登録年月日］2013/12/18　［抹消登録年月日］現役稼働中

[登録記号] JA18KZ
[製造番号] 36141/1489
[新規登録年月日] 2014/10/24

[型式] Boeing747-8KZF
[最終運航会社] 日本貨物航空
[抹消登録年月日] 現役稼働中

[登録記号] JA16KZ
[製造番号] 37393/1485
[新規登録年月日] 2014/11/18

[型式] Boeing747-8KZF
[最終運航会社] 日本貨物航空
[抹消登録年月日] 現役稼働中

[登録記号] JA17KZ
[製造番号] 36140/1487
[新規登録年月日] 2014/12/17

[型式] Boeing747-8KZF
[最終運航会社] 日本貨物航空
[抹消登録年月日] 現役稼働中

■日本の航空会社に在籍したボーイング747一覧

※登録記号順に掲載(8000番台→リクエストナンバー)。
※政府専用機のJAナンバーは導入時に総理府所有機として登録された際のもの。抹消登録年月日はJAナンバー抹消日で、退役日ではない。
※日本在籍機は全182機だが、JA8151は米国へ売却後、日本に復帰する際にJA8937として再登録されたため、登録記号の数は全部で183となる。

登録記号	型式	製造番号	最終運航会社	新規登録年月日	抹消登録年月日
JA8071	Boeing747-446	24423/758	日本航空	1990/01/26	2010/09/16
JA8072	Boeing747-446(BCF)	24424/760	日本航空	1990/01/24	2010/01/14
JA8073	Boeing747-446	24425/767	日本航空	1990/02/20	2010/10/19
JA8074	Boeing747-446	24426/768	日本航空	1990/02/27	2010/10/27
JA8075	Boeing747-446	24427/780	日本航空	1990/03/31	2010/09/21
JA8076	Boeing747-446	24777/797	日本航空	1990/07/11	2010/10/13
JA8077	Boeing747-446	24784/798	日本航空	1990/07/11	2011/04/12
JA8078	Boeing747-446	24870/821	日本航空	1990/11/20	2010/11/30
JA8079	Boeing747-446	24885/824	日本航空	1990/12/06	2010/11/25
JA8080	Boeing747-446	24886/825	日本航空	1990/12/13	2010/05/27
JA8081	Boeing747-446	25064/851	日本航空	1991/05/14	2011/05/30
JA8082	Boeing747-446	25212/871	日本航空	1991/08/28	2010/12/09
JA8083	Boeing747-446D	25213/844	日本航空	1991/10/11	2010/10/15
JA8084	Boeing747-446D	25214/879	日本航空	1991/10/15	2011/03/15
JA8085	Boeing747-446	25260/876	日本航空	1991/09/25	2011/01/07
JA8086	Boeing747-446	25308/885	日本航空	1991/11/11	2010/10/01
JA8087	Boeing747-446	26346/897	日本航空	1992/02/25	2011/03/16
JA8088	Boeing747-446	26341/902	日本航空	1992/02/25	2011/05/30
JA8089	Boeing747-446	26342/905	日本航空	1992/03/12	2011/06/29
JA8090	Boeing747-446D	26347/907	日本航空	1992/03/27	2010/06/10
JA8091 (自衛隊機体番号20-1101)	Boeing747-47C	24730/816	(航空自衛隊・政府専用機/ JAナンバー抹消前=総理府)	1991/09/18	1992/04/10
JA8092 (自衛隊機体番号20-1102)	Boeing747-47C	24731/839	(航空自衛隊・政府専用機/ JAナンバー抹消前=総理府)	1991/11/19	1992/04/10
JA8094	Boeing747-481	24801/805	全日本空輸	1990/08/29	2007/04/17
JA8095	Boeing747-481	24833/812	全日本空輸	1990/10/11	2008/04/11
JA8096	Boeing747-481	24920/832	全日本空輸	1991/02/06	2009/07/24
JA8097	Boeing747-481	25135/863	全日本空輸	1991/07/12	2009/10/09
JA8098	Boeing747-481	25207/870	全日本空輸	1991/08/22	2010/12/09
JA8099	Boeing747-481D	25292/891	全日本空輸	1992/01/14	2012/05/07
JA8101	Boeing747-146	19725/31	日本航空	1970/04/22	1992/06/09
JA8102	Boeing747-146	19726/51	日本航空	1970/05/28	1992/06/03
JA8103	Boeing747-146	19727/54	日本アジア航空	1970/06/26	1992/12/22
JA8104	Boeing747-246B	19823/116	日本航空	1971/02/11	2000/08/31
JA8105	Boeing747-246B	19824/122	日本航空	1971/03/01	1999/06/28
JA8106	Boeing747-246B	19825/137	日本航空	1971/05/14	1999/03/31
JA8107	Boeing747-146(SF)	20332/161	日本航空	1971/10/28	1992/06/24

登録記号	型式	製造番号	最終運航会社	新規登録年月日	抹消登録年月日
JA8108	Boeing747-246B	20333/166	日本航空	1971/11/30	1999/12/15
JA8109	Boeing747-246B	20503/180	日本航空	1972/03/02	1973/01/24
JA8110	Boeing747-246B	20504/181	日本航空	1972/03/13	1999/12/10
JA8111	Boeing747-246B	20505/182	JALウェイズ	1972/03/21	2001/06/26
JA8112	Boeing747-146	20528/191	日本航空	1972/06/14	1993/06/22
JA8113	Boeing747-246B	20529/192	日本航空	1972/06/30	1999/01/29
JA8114	Boeing747-246B	20530/196	日本航空	1972/11/03	2001/11/02
JA8115	Boeing747-146	20531/197	日本航空	1972/10/04	1999/04/27
JA8116	Boeing747-146	20532/199	日本航空	1972/12/08	2002/02/01
JA8117	Boeing747SR-46	20781/221	日本航空	1973/09/26	1988/04/15
JA8118	Boeing747SR-46	20782/229	日本航空	1973/12/21	1988/04/01
JA8119	Boeing747SR-46	20783/230	日本航空	1974/02/19	1985/08/19
JA8120	Boeing747SR-46	20784/231	日本航空	1974/02/20	1990/04/10
JA8121	Boeing747SR-46	20923/234	日本航空	1974/03/28	1990/05/19
JA8122	Boeing747-246B	20924/235	日本航空	1974/03/29	1996/01/31
JA8123	Boeing747-246F	21034/243	日本航空	1974/09/17	2002/04/17
JA8124	Boeing747SR-46	21032/249	日本航空	1974/11/22	1994/03/17
JA8125	Boeing747-246B	21030/251	日本航空	1974/12/17	1997/12/17
JA8126	Boeing747SR-46	21033/254	日本航空	1975/04/02	1990/12/19
JA8127	Boeing747-246B	21031/255	日本航空	1975/05/16	2004/01/14
JA8128	Boeing747-146	21029/259	JALウェイズ	1975/06/26	2003/08/05
JA8129	Boeing747-246B	21678/361	日本アジア航空	1979/03/07	2003/12/12
JA8130	Boeing747-246B	21679/376	日本アジア航空	1979/06/15	2005/10/18
JA8131	Boeing747-246B	21680/380	日本航空	1979/06/29	2007/03/19
JA8132	Boeing747-246F	21681/382	日本航空	1979/07/28	2006/03/28
JA8133	Boeing747SR-81	21604/346	全日本空輸	1978/12/22	1994/12/15
JA8134	Boeing747SR-81	21605/351	全日本空輸	1978/12/21	1995/02/23
JA8135	Boeing747SR-81	21606/360	全日本空輸	1979/03/01	1999/11/10
JA8136	Boeing747SR-81	21922/393	全日本空輸	1979/10/11	1999/01/18
JA8137	Boeing747SR-81	21923/395	全日本空輸	1979/09/06	1999/02/10
JA8138	Boeing747SR-81	21924/420	全日本空輸	1980/01/17	2001/10/18
JA8139	Boeing747SR-81	21925/422	全日本空輸	1980/02/18	2002/02/28
JA8140	Boeing747-246B	22064/407	日本航空	1979/11/09	2005/09/27
JA8141	Boeing747-246B	22065/411	日本航空	1979/12/04	2007/05/01
JA8142	Boeing747-146B/SR	22066/426	日本航空	1980/02/01	1998/04/02
JA8143	Boeing747-146B/SR	22067/427	日本航空	1980/02/15	1998/12/16
JA8144	Boeing747-246F	22063/432	日本航空	1980/03/18	1995/04/20
JA8145	Boeing747SR-81	22291/453	全日本空輸	1980/05/19	2002/09/20
JA8146	Boeing747SR-81	22292/456	全日本空輸	1980/06/17	2003/07/30
JA8147	Boeing747SR-81	22293/477	全日本空輸	1980/11/26	2004/05/11
JA8148	Boeing747SR-81	22294/481	全日本空輸	1980/11/26	2004/11/16
JA8149	Boeing747-246B	22478/489	JALウェイズ	1981/03/16	2003/12/15
JA8150	Boeing747-246B	22479/496	JALウェイズ	1981/03/20	2007/12/17
JA8151(後にJA8937)	Boeing747-246F	22477/494	日本航空	1981/04/16	1994/08/25
JA8152	Boeing747SR-81	22594/511	全日本空輸	1981/06/30	2004/09/28
JA8153	Boeing747SR-81	22595/516	全日本空輸	1981/05/29	2004/10/29
JA8154	Boeing747-246B	22745/547	日本アジア航空	1981/11/18	2006/03/31
JA8155	Boeing747-246B	22746/548	日本アジア航空	1981/12/16	2006/11/27
JA8156	Boeing747SR-81	22709/541	全日本空輸	1982/07/15	2004/07/15
JA8157	Boeing747SR-81	22710/544	全日本空輸	1982/06/25	2006/03/27
JA8158	Boeing747SR-81(SF)	22711/559	日本貨物航空(ANAより転籍)	1982/06/18	2006/02/17
JA8159	Boeing747SR-81	22712/572	全日本空輸	1983/07/12	2005/05/24
JA8160	Boeing747-221F	21744/392	日本航空	1982/10/30	2007/09/14
JA8161	Boeing747-246B(SF)	22990/579	日本航空	1983/06/17	2007/04/17
JA8162	Boeing747-246B	22991/581	日本航空	1983/06/07	2007/04/18
JA8163	Boeing747-346	23149/599	日本航空	1984/12/07	2008/05/26
JA8164	Boeing747-146B/SR	23150/601	日本航空	1984/12/05	2005/12/19
JA8165	Boeing747-221F	21743/384	日本航空	1983/12/21	2007/05/01
JA8166	Boeing747-346	23151/607	日本航空	1985/02/05	2009/09/18
JA8167	Boeing747-281F	23138/604	日本貨物航空	1984/12/14	2006/09/01
JA8168	Boeing747-281F	23139/608	日本貨物航空	1985/03/01	2006/04/24
JA8169	Boeing747-246B(SF)	23389/635	日本航空	1986/03/20	2008/08/14
JA8170	Boeing747-146B/SUD	23390/636	日本航空	1986/03/25	2006/12/01
JA8171	Boeing747-246F	23391/654	日本航空	1986/08/29	2009/10/19
JA8172	Boeing747-281F	23350/623	日本貨物航空	1985/10/16	2007/11/30
JA8173	Boeing747-346	23482/640	日本航空	1986/04/16	2007/02/05
JA8174	Boeing747-281B	23501/648	全日本空輸	1986/06/26	2005/11/24
JA8175	Boeing747-281B	23502/649	全日本空輸	1986/07/03	2006/02/02
JA8176	Boeing747-146B/SUD	23637/655	日本航空	1986/09/10	2006/04/20
JA8177	Boeing747-346	23638/658	日本航空	1986/10/03	2009/07/27
JA8178	Boeing747-346	23639/664	日本航空	1986/12/16	2006/09/29
JA8179	Boeing747-346	23640/668	日本航空	1987/02/06	2007/07/23
JA8180	Boeing747-281F	23641/684	日本航空	1987/08/12	2008/05/16
JA8181	Boeing747-281B(SF)	23698/667	日本貨物航空(ANAより転籍)	1986/12/23	2008/03/31

登録記号	型式	製造番号	最終運航会社	新規登録年月日	抹消登録年月日
JA8182	Boeing747-281B(SF)	23813/683	日本貨物航空(ANAより転籍)	1987/07/14	2008/03/31
JA8183	Boeing747-346SR	23967/692	日本航空	1987/12/11	2009/08/20
JA8184	Boeing747-346SR	23968/693	日本航空	1988/01/29	2008/11/12
JA8185	Boeing747-346	23969/691	日本航空	1988/03/08	2009/11/11
JA8186	Boeing747-346SR	24018/694	日本航空	1988/02/10	2008/10/29
JA8187	Boeing747-346SR	24019/695	JALウェイズ	1988/02/22	2007/07/04
JA8188	Boeing747-281F	23919/689	日本貨物航空	1988/01/27	2008/02/18
JA8189	Boeing747-346	24156/716	日本アジア航空	1988/10/19	2007/07/23
JA8190	Boeing747-281B(SF)	24399/750	日本貨物航空(ANAより転籍)	1989/08/11	2008/03/31
JA8191	Boeing747-281F	24576/818	日本貨物航空	1990/11/07	2007/01/25
JA8192	Boeing747-2D3B(SF)	22579/514	日本貨物航空(ANAより転籍)	1990/11/15	2007/04/03
JA8193	Boeing747-212B(SF)	21940/457	日本航空	1991/06/25	2008/01/04
JA8194	Boeing747-281F	25171/886	日本貨物航空	1991/11/20	2007/01/30
JA8901	Boeing747-446	26343/918	日本航空	1992/06/02	2010/09/17
JA8902	Boeing747-446(BCF)	26344/929	日本航空	1992/08/20	2011/01/20
JA8903	Boeing747-446D	26345/935	日本航空	1992/09/16	2010/11/02
JA8904	Boeing747-446D	26348/941	日本航空	1992/11/04	2010/06/24
JA8905	Boeing747-446D	26349/948	日本航空	1992/12/02	2010/07/15
JA8906	Boeing747-446(BCF)	26350/961	日本航空	1993/03/03	2010/11/17
JA8907	Boeing747-446D	26351/963	日本航空	1993/03/03	2010/08/02
JA8908	Boeing747-446D	26352/978	日本航空	1993/06/02	2010/12/15
JA8909	Boeing747-446(BCF)	26353/980	日本航空	1993/06/08	2010/12/06
JA8910	Boeing747-446	26355/1024	日本航空	1994/03/30	2010/12/13
JA8911	Boeing747-446(BCF)	26356/1026	日本航空	1994/03/31	2010/12/14
JA8912	Boeing747-446	27099/1031	日本航空	1994/06/01	2010/07/14
JA8913	Boeing747-446	26359/1153	日本航空	1998/05/01	2010/06/30
JA8914	Boeing747-446	26360/1166	日本航空	1998/07/24	2010/11/18
JA8915	Boeing747-446(BCF)	26361/1188	日本航空	1998/12/02	2010/12/15
JA8916	Boeing747-446	26362/1202	日本航空	1999/03/19	2011/01/24
JA8917	Boeing747-446	29899/1208	日本航空	1999/04/21	2011/05/17
JA8918	Boeing747-446	27650/1234	日本航空	1999/11/22	2011/06/23
JA8919	Boeing747-446	27100/1236	日本航空	1999/12/17	2010/09/16
JA8920	Boeing747-446	27648/1253	日本航空	2000/08/18	2011/08/04
JA8921	Boeing747-446	27645/1262	日本航空	2000/12/20	2011/03/07
JA8922	Boeing747-446	27646/1280	日本航空	2001/08/01	2011/10/19
JA8937(元JA8151)	Boeing747-246F	22477/494	日本航空	1999/01/13	2008/03/14
JA8955	Boeing747-481D	25639/914	全日本空輸	1992/05/13	2008/11/26
JA8956	Boeing747-481D	25640/920	全日本空輸	1992/06/10	2012/12/14
JA8957	Boeing747-481D	25642/927	全日本空輸	1992/07/16	2013/10/28
JA8958	Boeing747-481	25641/928	全日本空輸	1992/08/12	2011/05/26
JA8959	Boeing747-481D	25646/952	全日本空輸	1993/01/12	2012/10/15
JA8960	Boeing747-481D	25643/972	全日本空輸	1993/05/12	2014/03/31
JA8961	Boeing747-481D	25644/975	全日本空輸	1993/05/14	2014/04/18
JA8962	Boeing747-481	25645/979	全日本空輸	1993/06/04	2011/01/25
JA8963	Boeing747-481D	25647/991	全日本空輸	1993/09/01	2011/08/03
JA8964	Boeing747-481D	27163/996	全日本空輸	1994/03/25	2011/11/16
JA8965	Boeing747-481D	27436/1060	全日本空輸	1995/04/25	2013/06/28
JA8966	Boeing747-481D	27442/1066	全日本空輸	1995/12/12	2014/01/20
JA01KZ	Boeing747-481F	34016/1360	日本貨物航空	2005/06/16	2014/08/04
JA02KZ	Boeing747-481F	34017/1363	日本貨物航空	2005/08/26	2013/06/06
JA03KZ	Boeing747-481F	34018/1378	日本貨物航空	2006/10/02	2014/09/16
JA04KZ	Boeing747-481F	34283/1384	日本貨物航空	2007/03/22	2017/08/02
JA05KZ	Boeing747-4KZF	36132/1394	日本貨物航空	2007/10/30	2019/02/19
JA06KZ	Boeing747-4KZF	36133/1397	日本貨物航空	2007/12/21	2018/11/07
JA07KZ	Boeing747-4KZF	36134/1405	日本貨物航空	2008/05/30	2016/11/02
JA08KZ	Boeing747-4KZF	36135/1408	日本貨物航空	2008/08/01	2018/11/08
JA11KZ	Boeing747-8KZF	36136/1421	日本貨物航空	2013/10/31	現役稼働中
JA12KZ	Boeing747-8KZF	36137/1422	日本貨物航空	2012/12/21	現役稼働中
JA13KZ	Boeing747-8KZF	36138/1431	日本貨物航空	2012/07/26	現役稼働中
JA14KZ	Boeing747-8KZF	37394/1469	日本貨物航空	2013/11/19	現役稼働中
JA15KZ	Boeing747-8KZF	36139/1479	日本貨物航空	2013/12/18	現役稼働中
JA16KZ	Boeing747-8KZF	37393/1485	日本貨物航空	2014/11/18	現役稼働中
JA17KZ	Boeing747-8KZF	36140/1487	日本貨物航空	2014/12/17	現役稼働中
JA18KZ	Boeing747-8KZF	36141/1489	日本貨物航空	2014/10/24	現役稼働中
JA401A	Boeing747-481(D)	28282/1133	全日本空輸	1997/11/14	2008/07/24
JA401J	Boeing747-446F	33748/1351	日本航空	2004/10/13	2010/11/17
JA402A	Boeing747-481(D)	28283/1142	全日本空輸	1998/01/30	2007/10/02
JA402J	Boeing747-446F	33749/1352	日本航空	2004/10/29	2010/11/19
JA403A	Boeing747-481	29262/1199	全日本空輸	1999/02/26	2008/06/24
JA404A	Boeing747-481	29263/1204	全日本空輸	1999/03/31	2007/04/25
JA405A	Boeing747-481	30322/1250	全日本空輸	2000/06/29	2007/10/31
JA811J	Boeing747-246F	22989/571	日本航空	1982/12/15	2008/11/13
JA812J(元N212JL)	Boeing747-346	23067/588	日本航空	1983/11/30	2009/10/16
JA813J(元N213JL)	Boeing747-346	23068/589	日本航空	1983/12/09	2010/01/15

超大型機市場のボーイング社独占を打破せよ！

世紀の巨人機A380の挑戦

ボーイングを筆頭に旅客機市場で躍進を続ける米国勢に対抗するため、
欧州勢が結束することで誕生したエアバス。
A300の誕生以来、着実に米国勢との差を詰めてきたエアバスだが、
最後までボーイングに市場の独占を許していたのが超大型機だった。
ボーイングの牙城を突き崩すべく、史上最大の旅客機として名機747に挑むことになったA380。
決して平坦ではなかったその開発過程を改めて振り返る。

文=内藤雷太　写真=エアバス（特記以外）

ワイドボディ旅客機の登場と「欧州連合」エアバスの誕生

　エアバスA380は2023年現在で世界最大のキャパシティを持つ巨人旅客機である。最大座席数853席のフルダブルデッキ胴体は特に高さ方向の大きさが際立ち、広大な主翼と相まって大型船舶かビルディングに近い圧倒的存在感を放つ。この大きな機体を離陸させ安全運航させるのに必要な技術の開発は並大抵ではなく、莫大な開発費と時間を要したことも容易に想像できる。A380の開発は1988年のエアバス社内での検討に始まり、そこから2021年のプロジェクト終了まで、実に33年の歳月と2兆3千億円以上の巨額の開発費をつぎ込んだ、巨大プロジェクトだった。

　開発過程では巨人機ゆえの製造問題で大幅な計画遅延を繰り返し、一時はエアバスの信用問題に発展した。膨大な開発費と多くの技術的困難に阻まれながら、なおもエアバスをA380開発に衝き動かした原動力は何だったのか。そこにはボーイング747という、長距離超大型旅客機の先駆けにして航空新時代を開拓した傑作機の存在があった。

　747の登場は1970年（初飛行はその前年）である。1950年代のジェット旅客機時代の幕開け、そして西側諸国の戦後の経済復興に支えられた航空市場の急成長は、1960年代にさらに加速されて「より速く、より遠く、より大きく」という市場ニーズを生んだ。この変化を敏感に嗅ぎ取った米国機体メーカーが競って開発を進めたのが、後に旅客機市場の主流となるワイドボディ機で、その先陣を切ったのがひときわ異彩を放ち当時の常識を遥かに越えた747だった。後にジャンボジェットの愛称で旅客機の代名詞となるこの巨人機は、その巨大さやデビュー直後のオイルショックの影響で経済性や必要性を疑問視する声が多い中、実運航を通じて自らその経済性を証明し、航空史に残る大ベストセラーとなる。しかし巨人機ゆえの開発リスクや747との競合を恐れた航空機製造業界にフォロワーは現れず、市場は長らく747の独占だった。そして747登場から18年、ついに現れた挑戦者がエアバスである。

　747登場当時、エアバスは設立間もない新規参入企業だった。米国からのワイドボディ機の大波に欧州の機体メーカーはみな危機感を抱き、これに対抗するためにフランス、西ドイツ両政府の強力なバックアップの

強大な米国勢に対抗するため、欧州の航空機メーカーが集結して誕生したのがエアバスだ。

下、国境を越えて設立された多国籍企業がエアバスだ。当時、欧州でもワイドボディ機のニーズは高まっていて、1967年から各国のメーカーが共同で次世代機開発の検討を開始、これが1970年のエアバス・インダストリー設立に繋がった。集まったメーカーは各国を代表する名門企業ばかり、新規参入ながら米国勢の強敵である。エアバス初の製品A300は意欲的な世界初の双発ワイドボディ機で、期待通りの実力で米国勢と対等に渡り合った。A300を皮切りにハイテク機を次々と市場に送り込むエアバスは、やがてボーイングと市場を二分するトップメーカーへ成長した。

路線戦略の方向性はどうなるか
2大メーカーで分かれた判断

そんなエアバスが最後まで手を出せずにいたのが747の独占市場だった。ワイドボディ機からシングルアイル（単通路）機まで幅広い機種展開で業界トップをボーイングと競い合うエアバスは、さらに市場を拡大してボーイングを越えるには747の市場を切り崩さねばならないと考える。これを実行に移したのが超大型機の社内検討だった。

エアバスが極秘裏に超大型機開発の検討を開始した1980年代後半は、東西冷戦終結や情報産業の活性化で経済グローバル化が急速に進み、国境を越えた航空需要が急増した時代だ。この中で大規模空港の発着便数や利用客数は飽和状態になり、抜本的な対策が求められていた。そこでエアバスは最新の超大型機を投入すれば、輸送の効率化と共に管制・空港利用の飽和状態が解消され、さらに747の独占市場に食い込めると考えた。対するボーイングもオイルショックを経てエアラインの視点が経済性重視に変化したことに気付き、設計が古く燃費で見劣りする747の後継を考え始めた。

こうしてエアバス、ボーイングがそれぞれの思惑で超大型機市場への展開を検討する中、エアバスは1990年のファーンボロ・エアショーで社外秘だった超大型機UHCA（Ultra High Capacity Airliner）計画を、747を上回る経済性の超大型機開発計画として公表した。エアバスの挑戦にボーイングも素早く反応し、翌年には747ベースの「747ストレッチ」、「747ダブルデッキ」、そして新設計で500席超えとなる超大型機「NLA（New Large Airplane）」の3つの開発構想を発表してエアバスを牽制する。

A300の登場以来、さまざまな旅客機を生み出してきたエアバスだが、ボーイング747が独占してきた超大型機市場だけが未参入のカテゴリーとして残っていた。

この反応はエアバスの予期するところであったが、当初よりエアバスとボーイングは、747が形成した超大型機市場は2機種の住み分けができるほど大きくないのでは、という疑念を抱いており、巨額投資が必要な開発競争で負けるリスクを考えると、両陣営とも新型機開発には慎重にならざるを得なかった。そこでエアバスメンバーのブリティッシュ・エアロスペースとアエロスパシアルはUHCAとは別にVLCT（Very Large Commercial Aircraft）という巨人機構想をまとめ上げ、ボーイングに共同開発を持ち掛けた。ボーイングを巻き込んで開発費を分担し、市場の住み分けで全面対立を回避するのが狙いだった。この案にボーイングも興味を示し、一時は共同で仕様検討を行うまで話は進んだが、ボーイングの牙城を崩したいエアバスと独占支配を続けたいボーイングで話がうまく進むはずがなく、やがて両社は決別する。

巨人機の単独開発を決意したエアバスは、1996年のファーンボロ・エアショーでUHCAをA3XXと命名し、747よりも15%以上優れた経済性を持つフルダブルデッキの超大型旅客機開発計画として正式発表、

これが次世代の同社フラッグシップとぶち上げた。ボーイングも対抗して747-400のストレッチ型747-500X/-600X構想を発表したが、こちらは市場の反響を得られずにすぐに消えてしまう。一直線に超大型旅客機を目指すエアバスに対し、この時ボーイングは次期プロジェクトの方向性に迷っており、ここでの判断がその後の両社の方向を大きく分けた。業界で未だに議論が続くハブ・アンド・スポークvsポイント・トゥ・ポイント問題である。

距離の離れたハブ空港Aとハブ空港Bを長距離大型機で結んで多数の乗客を効率的に移動させ、到着したハブ空港Bから目的地のローカル空港まで小型旅客機でスポーク状に結ぶハブ・アンド・スポーク路線戦略こそA3XX計画の拠り所で、エアバスはこの先も市場がこの方向に発展すると予想した。一方ボーイングはハブ・アンド・スポーク路線戦略はこの先変わると見た。ハブ・アンド・スポーク戦略の次を模索した同社は、一度はA3XXに対抗する計画として速度重視の大型亜音速旅客機ソニック・クルーザーを発表して業界を驚かせたものの、市場の支持が得られなかったことから、最後に辿り着いた結論は次世代双発ワイドボディ機787ドリームライナーの開発だった。777の成功でワイドボディ機の将来可能性に注目したボーイングは、需要に応じて出発地と到着地を直行便で結ぶポイント・トゥ・ポイント路線戦略こそ市場の未来で、先端技術で優れた経済性を持つ次世代双発ワイドボディ機なら実現可能な路線戦略と結論したのだ。

機内配線で痛恨の設計ミス発覚 順調だった開発は一転して苦境に

こうしてエアバスとボーイングは異なる道を

選び、エアバスはA3XXの売り込みを精力的に展開した。やがてエミレーツ航空、エールフランス航空、シンガポール航空、カンタス航空、ILFC、ヴァージン アトランティック航空から55機の確定発注が集まった2000年12月、A3XXはA380の正式名称を与えられ巨人旅客機開発がローンチした。この頃エアバスは500席超えの超大型旅客機の需要は先の20年間で1500機以上、A380には750機以上の受注が期待され、プロジェクトの採算は250機受注で成立すると予想していた。

A380開発に向け十分な準備を行っていたエアバスは、A380をどんな機体にするべきか既に十分理解していた。超大型機でも既存空港インフラで運航可能な設計を目指し、巨大な胴体や主翼には積極的に複合材（コンポジット）を導入して強度向上と軽量化を両立させた（主翼と後部胴体に全機体重量の25%に及ぶ複合材を使用し胴体にはアルミ合金溶接を導入）。また双発ワイドボディ機の経済性に対抗できる大推力低燃費新型エンジンを採用し（ロールス・ロイス トレント900とエンジン・アライアンス GP7200）、2名乗務のコクピットはグラス化・ペーパーレス化してフライ・バイ・ワイヤとサイドスティック式コントロールを組み合わせるなど、エアバスらしい先進的な設計となった。また最大の特徴である大キャパシティのフルダブルデッキ客室では、全席に十分なエンターテインメントサービスを提供しつつ、エアラインごとのレイアウト変更に柔軟に対応できるようメインバスを軸とする複雑な通信ネットワークを構築、これもA380開発における技術的チャレンジだった。こうしたA380の要件はコンポーネントと下請けメーカーの選定から胴体や主翼など大型部分構造の製造

工場割り当て、そして最終組み立て地トゥールーズへの輸送方法まで、すべてローンチ前に検討されていたので試験機製造は実に順調に進み、2002年1月には早くも5機の試験機製造が開始された。

こうしてすべてが計画通り進んでいるかに見えた2005年、事態は急変する。この年の6月、「機内配線に不具合が見つかりA380の生産スケジュールが最大6か月遅延する」と突然エアバスが発注エアライン各社に連絡したのだ。直前の4月には試験1号機MSN001が初飛行に成功したばかりだった。ことの発端は客室キャビン内に設置するIFE機器などへの配線が短かったことで、原因はドイツ・スペイン側チームの設計支援ツール（CATIA Ver.4）とフランス・英国側チームの設計支援ツール（CATIA Ver.5）のデータ互換性が保たれていないという、多国籍企業が陥りやすい落とし穴だった。エアバスは使用するソフトウェアのバージョン管理を怠っていた。このため配線設計に寸法の食い違いが生じ、完成したハーネスアッセンブリーの取り回しができなくなったのだ。

ダブルデッキで最大座席数が853席の

初飛行までは開発が順調に進んだA380だったが、エンターテインメントシステムなどの配線に関して設計ミスが発覚し、その後のスケジュールに大幅な遅延が生じることとなった。

A380では、引かれる配線は計100,000本以上、長さは延べ500km以上ある。これら全部の設計を見直して新たにハーネスアッセンブリーを製造するだけでも大ごとだが、新しい配線の電磁干渉や電源試験などをやり直し、さらに長大な配線の取り回し変更による機体重心や離陸重量への影響を試験することを考えると、大幅な計画遅延は必至だった。

事の重大さを認識したエアバスは情報開示に慎重になり、この発表から1年がかりで原因究明と設計変更を行った上で、2006年6月に「シンガポール航空への1機目の納入は計画通り2006年末を守るが、翌年の生産可能機数は計画の1/3の9機に落ち、その先の2008年から2009年の生産機数は計画の40機から9機減る見通し」と2回目のスケジュール遅延を発表。この発表の影響は大きく、ここまで獲得した確定受注機数154機の内、フレイター型A380Fを発注したFedEx、UPS、エミレーツ航空、ILFCの全社がこれをキャンセルする事態となった。エアバスは貴重な27機の発注を失っただけでなく、7,200億円以上の契約

違約金支払い義務を負って経営が悪化し、社会的信用も失墜。2001年の民営化以来初の赤字に転落し、親会社EADSも株価大暴落という負の連鎖に巻き込まれた。

さらに問題は時のエアバスCEOノエル・フォルジャールのインサイダー取引疑惑という大スキャンダルにまで発展する。フォルジャールはEADS株暴落の直前にこれを売り逃げた容疑で告発され、CEOを辞任した。エアバスの苦境はさらに続き、前回からわずか4か月後の10月には、新たにCEOの座に就いたクリスチャン・ストレイフがA380の量産1年遅延、エアライン引き渡し2年遅延という3回目の遅延発表を行い、同時にエアバス社内の大リストラ計画を発表して当の本人も6日後にCEOを辞任するという泥沼の展開となり、最後には仏シラク大統領と独メルケル首相が直接乗り出してこの事態を収拾する。

こうした苦しい状況の中でA380の開発は進み、結局計画から18か月遅れの2007年10月3日、ついに量産初号機をローンチカスタマーのシンガポール航空に納入して、スローペースながら量産機の引き渡しが始まった。しかし、エアバスの勢いは戻らず、新規受注も伸び悩んでA380の苦戦は続くことになった。

商業的には失敗に終わったもののエアバスの技術力を高めたA380

一方ボーイングが賭けに出たA380の対抗馬787は、オールコンポジットの機体構造などエキセントリックな設計が災いし、こちらも深刻な開発遅延に陥っていた。しかしA380と異なるのは野心的な787に疑問を呈する声が多い中でもローンチと同時に発注が殺到し、遅延が発覚するまでに十分な注

2007年12月25日にシンガポール航空がシンガポール〜シドニー線で商業運航を開始したことでA380は本格デビュー。広い客室と乗り心地の良さで、旅客には当初から好評を得ることになった。

Charlie FURUSHO

251機が製造されたA380のうち、123機を受領したのがエミレーツ航空。セールス全体も低調だったが、エミレーツ航空1社によって生産が支えられていたような特異な機種でもあった。

文を獲得できたことだった。3年近くの計画遅延もその勢いを削ぐことはなく、次世代双発ワイドボディ機として大ベストセラー機となっていく。

かたやエアバスは、何とかA380の受注を伸ばそうと多くの派生型の提案を行ったもののどれも当たらず、2013年以降は本当の意味での新規受注がなくなる一方で逆に発注キャンセルが相次ぎ、一時は320機を超えた確定受注数もどんどん目減りしていった。そしてA380の総生産数のほぼ半数を所有することで世界最大のA380オペレーターとなったエミレーツ航空までもが、39機という大量の発注キャンセルをした2019年2月14日、ついにエアバスは苦渋の判断を下す。「A380の製造を受注残の製造が完了する2021年で終了する」と発表したのである。

A380の最終号機はやはりエミレーツ航空向けで、この機体の引き渡しが完了した2021年12月16日をもってA380という巨大プロジェクトは終わりを迎えた。2000年12月のローンチから21年、結局製造したモデルはA380-800のみで総引き渡し機数は251機だった。このうち約半数の123機がエミレーツ航空向けでありA380はエミレー

ツ航空に支えられていたことが分かる。

実際、A380ユーザーを見ると航空機の巨大市場である北米系エアラインが1社もいない。ハブ・アンド・スポークに特化し、大量の旅客を一気に長距離移動させる路線でなければ経済性を発揮できないA380は、ハブ・アンド・スポークとポイント・トゥ・ポイントを使い分けながら柔軟な路線展開をする北米系エアラインにとっては、大きすぎて使いにくい機体だった。747を生み出したボーイングは早期にこの問題に気付き発想を切り替え、こうして生まれた787がA380と巨人機の時代、そして4発機の時代に終止符を打ったのだ(ボーイングも2023年1月31日の747-8F引き渡しをもって747プログラムを終了した)。

A380の最終納入数251機はプロジェクト採算ラインにとても届かず、この壮大な開発は事業としては失敗に終わった。エアバスには回収しきれなかった巨額の開発費が、苦い教訓として残ることになる。しかし、この前人未到の巨人旅客機を実現させたエアバスの技術は永く歴史に刻まれ、生み出された251機のA380はこれからも世界の空を悠然と飛び続けるだろう。

商業運航開始から14年しか経っていない2021年12月に製造を終えたA380。採算ラインには全く届かなかったものの、航空史に名を刻む偉業であったことは間違いなく、獲得した技術や経験も大きかったはずだ。

■ A380-800

旅客機としては史上最大の巨人機となったA380。総二階建ての胴体に四発の
エンジンを装備し、モノクラス仕様にした場合の総座席数は850席を超える。

ディテール解説

エアバスA380の
メカニズム

写真と文=阿施光南（特記以外）

長年にわたり巨人機として君臨してきたボーイング747を凌ぐ
史上最大の旅客機として開発されたエアバスA380。
とかくその大きさにばかり注目が集まりがちなA380だが、
当時最新のテクノロジーを駆使してコンパクトさや軽量化が追求された機体でもある。
21世紀の巨人機として誕生したA380の機体各部に盛り込まれた
技術やその特徴を写真とともに見ていこう。

■ 機体サイズ

A380は世界最大の航空機ではない。たとえばアメリカで人工衛星の空中発射のために作られたストラトローンチの翼幅は117mで、A380の約1.5倍もある。ただしこれほど大きいと就航できる空港はほとんどないから、旅客機としては致命的だ。主要空港が受け入れられる目安は最大80m×80mで、A380もそれに収まるように作られた。

Airbus

■ 機体幅

前からA320、A330、A350、A380。コンパクトな機体を目指したとはいえ、A380の主翼が滑走路端（白線部分）から大きくはみ出しているのがわかる。また誘導路によっては隣の誘導路やスポットの航空機と干渉するので、通れる場所も制限されている。

■ 最終組立施設

A380の最終組立工場は本社のあるトゥールーズに建設された。他のエアバス機同様に各国で製造したコンポーネントを組み合わせるだけなので、小さなパーツから組み上げていく747の工場よりは規模が小さいが、それでもヨーロッパ有数の巨大建築物だ。A380の製造が終了したあとにはA320ファミリーの最終組立工場に改装される。

機体サイズ
実はコンパクトさを追求した機体

　エアバスA380は、ボーイング747の1.5倍ものキャパシティを持つ旅客機だ。しかしエアバスが目指したのは「世界最大」ではなく「いかに小さくするか」ということ。あまり大きいと、就航できる空港が限られてしまうからだ。

　世界の主要空港の関係者と協議した結果、限界とされたサイズは全長80m×全幅80m。747-400の全長が70.66mだから、これを10m伸ばしたところで1.5倍の乗客を乗せることはできない。そこで採用されたのが総二階建てキャビンだ。747にも総二階建て案はあったが、アッパーデッキは幅が狭いため1本通路に横6席（エコノミークラス）を装備するのが限界だ。しかしA380はアッパーデッキにもワイドボディ旅客機と同等の広さを確保することで、より多くの座席を装備できるようにした。

　ちなみに完成したA380の全長は747-400とほぼ同じ72.72mで、後から登場した

■ A380

窓の位置を見ればわかるように747（下写真）では第1ドアより前にも客室があるが、A380（上写真）にはない。747の最前方キャビンは「特別な空間」として人気もあったが、航空会社には使いにくい空間だ。A380はできるだけ前方まで幅を変えないことで、効率よくキャビンをレイアウトできるようにした。ただし機首から一気に胴体を太くすると空気抵抗が大きくなる。そこでメインデッキの幅は確保しながらも上部を細く絞って断面積の増加がゆるやかになるようにした。第1ドアと第2ドアの傾斜の違いからも断面の変化がわかる。

■ 三層の胴体構造

A380の胴体断面。総二階建てキャビンとはいっても、最下層の貨物室を含めると三階建てとなる。アッパーデッキを支えるクロスビームはCFRP製で日本のJAMCOによって製造されている。また外板に使われているのはアルミ合金にガラス繊維のシートを張り合わせることで軽量強固にしたグレアという新素材である。

■ 747

747-8よりはむしろ短い。「限界」とされた80mにはまだ余裕があったが、エアバスはさらに胴体を6.4m伸ばし、座席数を約100席増したモデル（A380-900）も検討していた。

胴体
機内スペースを有効活用できる断面

　A380の胴体は、ずんぐりとしている。実際に太いからでもあるが、機首が前方に細く伸びた747と比べると、いかにも短く丸い。

機首を細く絞るのは空気抵抗を小さくするためだが、そうして太さが変わるキャビンは使い勝手が悪い。たとえば747のAコンパートメント（キャビン最前方）は特別な空間としてそれなりに人気があったが、航空会社はどこも座席配置に悩んだはずだ。そこでA380では、機首に向けて細くなる「客室としては使いにくい部分」ができるだけ少なくなるように工夫された。

　A380と747の機首を比較すると、A380の第1ドアは747よりもずいぶん前にあること

■ アッパーデッキ用搭乗橋

A380が利用するスポットには、アッパーデッキに直結するPBB（旅客搭乗橋）が設置されることが多い。A380のためだけに作られた設備だが、注目度が高いA380が就航して多くの人々が行き来するようになれば、それは空港や地域、あるいは国にとっても大きなメリットになる。

■ ドア配置

A380は片側につき8か所のドアが設置されている。メインデッキ、アッパーデッキともに、すべてのドアが大型のタイプAである。通常の旅客機の場合、ドア番号は左舷側最前方なら「L1」、右舷側2番目なら「R2」などと呼ばれるが、総二階建てのA380ではメインデッキ左舷側最前方なら「M1L」、アッパーデッキ右舷側最後方なら「U3R」などと呼称される。

■ アッパーデッキへの搭降載

A380のアッパーデッキにはA330に匹敵する数の座席が装備されるため、効率よく機内食などを搭載するためにアッパーデッキに直接アクセスできるケータリング車が作られている。高さがあるというだけでなく、アッパーデッキのドアは大きく傾斜しているため開閉作業はかなり大変そうだ。

がわかる。単純には、このドアより後ろがキャビン幅一定の「使いやすい部分」だから、A380の方が機内をより有効活用できていることがわかる。そしてA380は、第1ドアより前方の「使いにくい部分」をコクピットやパイロット用バルク（仮眠用スペース）などとして活用した。アッパーデッキとを結ぶ階段はメインデッキのスペースを圧迫しているが、これはアッパーデッキ前方の細く絞られた部分を有効活用できる場所なので悪い配置ではない。

素材
軽量化に寄与した複合材料の多用

大型機の開発は、重量増加との戦いでもある。そこでA380には、軽量強固な複合材料が多用されている。尾翼や圧力隔壁、アッパーデッキの床を支える梁、左右の主翼と胴体を繋ぐセンターウイングボックスはCFRP（炭素繊維強化プラスチック）だ。ちなみにセンターウイングボックスをCFRPで作った旅客機はA380が初めてである。もちろん後に登場する787やA350のように機体構造のほとんどをCFRP化したわけではないが、たとえばA380の水平尾翼（スパン30.37m）はリージョナルジェットの主翼よりも大きいからあなどれない。

胴体外板に主に使われているGLARE（グレア）は、アルミ合金のシートにGFRP（ガラス繊維強化プラスチック）を積層したもので、アルミ合金よりも軽く、疲労や損傷、腐食などにも強い。実験では、人工的に作られた破損に対して数千飛行時間に相当する負荷を与えても損傷が進行しなかったとい

■ 主翼

重い航空機ほど大きな主翼が必要になるが、それでもA380の主翼は胴体長に対して過大であるように見える。だがA380のキャビンは総二階建てなので、胴体長の割には重量がある。また計画されていた胴体延長型も、大規模な主翼の変更なしに実現できるはずだった。

■ 主翼断面

工場で胴体への取り付けを待つA380の主翼。横に置かれた作業用の階段から、付け根の厚みが建物の1フロアと同等であることがわかる。この巨大な翼の内部は燃料タンクとして使われている。

う。しかもGLAREは通常のアルミ合金と同じように修理することが可能である。

また製造面でも、従来のリベットに代わるレーザービーム溶接を大幅に取り入れるなどして重量軽減と作業の効率化が図られている。

翼面積
巨大な主翼で低速性能向上

空港の展望デッキから見るA380には、ボリューム感はあってもあまり「巨大」という印象はない。全長が747と同程度しかないからかもしれない。しかし飛んでいる姿を見上げると、主翼の大きさに驚かされる。全幅は747-400の64.44mに対して79.75m（約15mプラス）もあり、翼面積は525㎡に対して約1.6倍の845㎡もある。胴体があまり長くないせいもあって、主翼の大きさが際立って見える。

だがA380の最大離陸重量は575tで747-400（約397t）の1.45倍もあるのだから、相応に大きな主翼は必要になる。とはいえ翼面荷重（翼の単位面積あたりが支える重

■ フラップ

A380の後縁フラップはシンプルなシングルスロッテッド・ファウラーフラップだ。また前縁は内側エンジンより胴体側がキャンバーを増すドループノーズ、外側は大きな迎角でも失速しにくいスラットになっている。また747が全速度用（内側フラップと外側フラップの間）と低速用（外側フラップよりもさらに外側）の2種類のエルロンを装備していたのに対して、A380は外側エルロンのみで全速度に対応している。

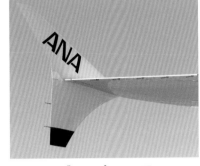

■ ウイングチップフェンス

主翼先端につけられた巨大な翼端デバイスは、圧力の高い下面から上面に逃げる空気の渦を拡散するためだ。それによって誘導抵抗を小さくするとともに、後続機にとって危険な乱気流を弱くする目的もある。

■ 尾翼

エアバスは早くから旅客機の尾翼をCFRP（炭素繊維強化プラスチック）で作っており、A380でも同様だ。ただしA380の尾翼は小型旅客機の主翼以上の大きさがある。また垂直尾翼先端までの高さは24.1mもあって、747よりも5m近く高い。そのため747を想定して作られた成田空港のANAの格納庫では入り口の上部を改修してA380を収められるようにしている。

量）を747-400と同程度にすれば、主翼は約一割ほど小さくすることができたはずだ。しかし、この大きな主翼のおかげでA380の進入速度は小型のA320並みに遅くできた。

エアバスは自社旅客機の操縦性の共通化を重視しており、基本的に同じコクピット、同じプロシージャー、同じ操縦感覚で飛ばせるようにしている。もちろん「まったく同じ」というわけにはいかないが、その差異ができるだけ小さくなるように配慮されている。たとえ

ばスピードは、一般的に重い飛行機ほど速くなければ飛んでいられないのだが、A380は小型機並みの速度で離着陸できるので、小型のエアバス機に慣れたパイロットにも適応しやすい。

進入速度
着陸時の制動距離の短縮実現

進入速度を遅くできるもうひとつのメリットは、離着陸距離を短くできるということだ。離

機内（キャビン）　Interior

■ アッパーデッキ

A380は幅7.14m×高さ8.41mの縦長の胴体を持ち、その内部は二層のキャビンと床下貨物質の三層になっている。同じく二層のキャビンを備えた747のアッパーデッキが単通路の737程度のスペースであるのに対して、A380のアッパーデッキは双通路のA330に匹敵し、エコノミークラスならば横8席を装備できる。写真はANAのビジネスクラス。

■ 前方階段

■ 後方階段

上下のキャビンは前後の階段で結ばれており、前方階段は大人2人が余裕を持ってすれちがえる直線型、後方階段は螺旋型となっている。ただし、多くの航空会社は飛行中の乗客の階段の利用を禁止あるいは制限している。

Akira Fukazawa

陸は単純には強力なエンジンで素早く加速してやれば滑走距離を短くできるが、着陸はそう簡単ではない。使えるのは車輪ブレーキと主翼のエアブレーキ（スポイラー）、そしてエンジンのスラストリバーサー（逆噴射装置）だが、このうちスラストリバーサーは故障に備えて使わなくても停止できることが求められている。したがって主に頼りにするのは車輪ブレーキということになるが、その制動力は路面とタイヤとの摩擦によって限界がある。つまり、強くブレーキをかけたところでタイヤがロックして停止距離はむしろ長くなってしまうだけだ。そこでアンチスキッド装置を使ってタイヤがロックするぎりぎりの圧力でブレーキをかけるのだが、それ以上はあまりできることがない。しかし着陸時の速度を遅くすればそれだけ短距離で、つまり短い滑走路で着陸できる。

旅客機の車輪ブレーキはメインギアのタイヤに装備されている。747ではメインギアには16個のタイヤがあり、そのすべてにブレーキがついている。A380のメインギアには20

■ メインデッキ

メインデッキの最大幅は747よりもやや大きいが、エコノミークラスでは747と同じ横10席配置となっているので、天井の高さとも相まって開放感はある。上下合わせたキャビン床面積は550㎡で、これは胴体を延長した747-8よりもさらに約40%も大きい。

■ 客室窓と空調ダクトの位置

胴体構造のフレーム間隔を大きくしたことで、空調ダクトは窓を避けて配置することができたため、他の旅客機にみられるような「窓のない窓側席」はなくなっている。

Airbus

■ メインデッキの高密度配置

747よりも広いメインデッキの横幅を活かして、A380では横11列配置の高密度配置も可能。ただし、これまでにこの座席配置を採用した航空会社はない。

個のタイヤがあるが、そのうち最後部の4輪にはブレーキがない。着陸速度が遅いので、それでも十分に停まれるということだ。

またエンジンのスラストリバーサーも、747では4つすべてのエンジンに装備されているが、A380では内側エンジンのみに装備されている。これは推力が大きなA380のエンジンで、重心から遠い外側エンジンのスラストリバーサーが故障してしまうとバランスの崩れが大きくなってしまうためと説明されているが、ただ2つのエンジンを逆噴射するだけでも十分に減速できるという理由もあるだろう。

翼
主翼内には10個もの燃料タンク

A380と747の主翼を比べると、大きさのほかにいくつもの違いが目につく。まずは後退角の大きさがA380の33.5度に対して

Airbus

■ **スライドシュート**

■ **非常口**

非常口はメインデッキに片側5か所、アッパーデッキに片側3か所ずつある。すべて大型のタイプAで、スライドシュートも横に2人並んで滑れるダブルレーンのものとなっている。アッパーデッキの床面の高さは約8mあるが、スライドシュートの幅が広いこと、また出口付近のサイドには転落防止とフェンスが立ち上がって目隠しにもなるため、さほど恐怖はないだろうということだ。

747は37.5度と大きく、より高速向けである。これは747が開発された1960年代にはまだ燃料費も安く、何よりもスピードが重視されていたからだ。一方でA380の主翼はより経済性を重視した平面形だが、それでも旅客機としてはトップクラスのマッハ0.85程度の高速巡航も可能なのは技術の進歩ゆえだろう。

また747のエルロンは全速度用（内側）と低速用（外側）の2つに分かれているが、A380は外側のエルロンのみで全速度に対応している。747の主翼は軽量化のために柔らかく、高速で外側エルロンを使うと翼が

ねじれて逆効きをしてしまう危険がある。しかしA380の主翼はねじれにくい構造として外側エルロンのみで全速度に対応している。

高揚力装置としては、内側エンジンより胴体寄りの主翼前縁にはドループノーズ、外側にスラット、後縁にはシングルスロッテッド・ファウラーフラップが装備されている。スポイラーは片翼に8枚ずつで、飛行中や着陸時のエアブレーキとして使われるほか、外側の6枚はエルロンと連動してロールコントロールを補助し、またタービュランス時の翼への荷重を低減させるためにも使われる。なおエルロンはフラップと連動したフラッペロンとして、また着陸時にはスポイラーと共にエアブレーキとしての機能も備えている。

主翼内には左右合わせて10個の燃料タ

■ANAの多目的ルーム

■カンタス航空の機内ラウンジ

Qantas

■大韓航空の免税品展示コーナー

Hiroyuki Kashiwa

Emirates

■エミレーツ航空のバーカウンター

A380は広々としたキャビン空間を活用して、他の旅客機では難しいような設備も実現できる。たとえばANAの場合は、メインデッキに授乳や着替えに利用できる多目的室を設置した。他の航空会社も機内ラウンジや免税品展示コーナーなど、それぞれに工夫を凝らした設備で空の旅を演出している。

ンク(他に水平尾翼内にトリムタンク)があるが、これは四発の大型機であることを考えてもかなり多い。A380には飛行フェーズごとに機体にかかる荷重が小さくなるよう燃料を移送する仕組みがあり、たとえば離着陸時には機体重量を支えるランディングギアに近い主翼内側に燃料を寄せる。これはランディングギアから遠いタンクに燃料を入れると、機体にかかる荷重が大きくなってしまうから

だ。一方で飛行中には外側タンクに燃料を移すことで主翼に対する曲げ荷重を小さくし、また水平尾翼タンクに適切に燃料を送ることでトリム抵抗を小さくする。

主翼の先端には、ウイングチップフェンスがつく。これはウイングレット同様に翼端渦を弱めて誘導抵抗を小さくする効果があるが、A380の場合は揚抗比の改善以上に、強力な翼端渦を弱めて後続機への影響を

エンジン ▶ Engine

■ エンジン

エンジンはロールスロイス・トレント900とエンジンアライアンスGP7200の2種類が用意されている。いずれも777用のエンジンをベースとしたものだ。A380は777よりも大きいが、双発ではなく四発装備なので個々のエンジンは小さくてもよい。それでもまだ直径は大きいので、地面との間隔を確保するために主翼取付部から内側エンジンまでは高く持ち上げるようにしている。

■ スラストリバーサー

強力なエンジンには、一発故障時に機体のバランスを崩しやすいというリスクもある。そこでA380は、スラストリバーサーをバランスに影響の少ない内側エンジンのみに装備している。もちろん着陸速度が遅いので、それでも十分に停まることができるという理由もある。

小さくするという意味合いが強い。

キャビンスペース
ライバルも認める静粛性

　A380は世界最大の旅客機だが、機内に入るとその大きさを実感することはない。メインデッキのキャビン幅は747と大差なく（エコノミークラスで横10席配置）、アッパーデッキのキャビン幅はA330と大差ない（横8席）から、ワイドボディ旅客機に乗ったことのある人には驚くような広さではない。

　総二階建てといっても自分のいるフロアの上あるいは下にキャビンがあるということも感じ

られないだろう。A380が乗り入れている空港の多くはメインデッキとアッパーデッキそれぞれに直結するボーディングブリッジを備えているから、基本的には乗り込んだフロアの自分の席に座るだけだ。キャビン前後に階段はあるものの、乗客が利用する機会はほとんどない。飛行中は転落事故を防ぐことと、クラス間のキャビン移動が制限されている（特に下位クラスから上位クラス）ためだ。

ランディングギア　Landing gear

■ 前脚

■ 主脚

■ ランディングギア

ランディングギアはノーズギア1脚とメインギア4脚（ウイングギア2脚とボディギア2脚）で747と同じ構成だ。ただし747がメインギア1脚あたり4本のタイヤを装備しているのに対して、A380のボディギアはタイヤを6本に増やして大きな機体重量に対応している。なおボディギアの後方タイヤ2本ずつにはノーズギアと連動したステアリング機能があるが、ブレーキはついていない。これも着陸速度が遅いので、残りのタイヤのブレーキだけで十分に減速できるという理由である。

■ ブレーキ

主脚にはディスクブレーキを装備（奥の車輪）。最後方の車輪（手前）にはブレーキが備えられていないのがわかる。

むしろA380に乗ったときに楽しみたいのは、広さよりもその滑らかな乗り心地と静けさだろう。ライバルメーカーの重役が「A380は静かすぎて会話を他人に聞かれてしまうおそれがある」と、ほめる意図はなかったにしても太鼓判を押している。このキャビンの静粛性（747-400より騒音が50%減少）について、内装に特別な防音装置などをつけているのかとエアバスに問い合わせたことがあるが、ごく普通の防音断熱材を使っているだけとのことだ。もともと静かなエンジンを（大型機ゆえに）キャビンから遠い場所に配置していることが大きな理由らしい。

エンジン
巨人機を飛ばす十分なパワー

歴史上の巨人機にはエンジンのパワー不足に泣いた機体も多いが、これについてもA380はあまり苦労することはなかった。

世界最大の旅客機を飛ばすには強力なパワーが必要になるが、それを四発でまかなえばいいため個々に必要な推力は32トン程度とされた。より小型とはいえ双発の777用にはずっと強力なエンジンが実用化されていたから、あとはいかに燃費や騒音を小さくできるかの問題となる。少なくとも、それまでの巨人機用エンジンのように未知のハイパワーに挑むようなリスクはなかった。

A380用のエンジンには、ロールスロイス・トレント900とエンジンアライアンスGP7200の2種類が用意されている。

コクピット
他のエアバスFBW機と高い共通性

A380のコクピットは、サイドスティックを使ったフライ・バイ・ワイヤ（FBW）操縦システムなど、それまでのエアバス機との共通性を重視して作られている。主たるディスプレイは、

コクピット ＞ Cockpit

■ コクピット

コクピットはディスプレイが縦長に大型化して数も増えているが、基本的な構成やプロシージャー（操作手順）などはA320からA340までのコクピットと同じである。エアバス機の操縦系統にはフライ・バイ・ワイヤ（FBW）が使われており、システムの監視や制御も自動化されている。操縦装置はコンピューターに指示を入力するためのスイッチにすぎないと考えれば、機体規模が何倍も違っても同じ手順で飛ばすことかできても不思議はない。

■ A330

■ A380

パイロット正面のPFD（Primary Flight Display）とND（Navigation Display）、中央にE/WD（Engine & Warning Display）、その下にSD（System Display）、その両側にMFD（Multi Function Display）が並ぶ。

それまでのエアバス機のコクピットと比べると、それぞれのディスプレイが正方形から縦長の長方形に大型化され、より多くの情報を表示できるようになっている。またディスプ

レイの数が増えているというのも違いだが、これは基本は踏襲しながらも電子チェックリストなどさまざまな機能を追加したものと考えればいい。またインタラクティブに操作するディスプレイに対応して、PCのマウスのように使う入力装置KCCU（Keyboard & Cursor Control Unit）が新たに追加されている。

さらにコクピット両側にも、新しくOIT（Onboard Information Terminals）とい

■ サイドスティックとディスプレイ
操縦操作は他のエアバスFBW機と同様にサイドスティックで行う。ディスプレイは従来機よりもやや大型化。正面がPFD（左）とND（右）、中央にE/WD（上）とSD（下）、その両側にMFD（Multi Function Display）が並ぶ。

■ OIT
コクピット両側に装備されたOIT（Onboard Information Terminals）。コクピットのペーパーレス化を推進できる装備の一つで、入力が必要な場合は操縦席正面のキーボードを使用する。

う大型ディスプレイが追加されている。これは各種チャートや電子ログブック、あるいはウエイト＆バランスや離着陸用の性能データなどさまざまな情報を表示するもので、コクピットのペーパーレス化の一環だ。またOITへの入力用にはパイロット正面の収納式テーブルにキーボードが装備されている。

ちなみにA380のコクピットは、メインデッキとほぼ同じ高さ（約1m高い程度）にある。

初期には貨物型の開発も予定されており、747Fのようにノーズカーゴドアを装備してコクピットをアッパーデッキに置くことも検討されたが、航空会社からの意見を聞いた結果ノーズカーゴドアは不要ということになった。そこでコクピットの高さを従来のエアバス機のように低く抑え、パイロットの視線をほぼ同じとした。そうした意味でも、コクピットの共通性が確保されているのである。

史上最大の旅客機だから実現できた

A380の
キャビン革命

エアバスA380は史上最大の旅客機だが、利用者にとって画期的なのは、

機体規模の大きさというよりもキャビンスペースの広さだろう。

各航空会社はその巨大なキャパシティを活かして、従来の旅客機では難しかった設備を次々と導入した。

時代を画する新しい旅客機であることを利用者の誰もが実感できる、A380はそんな機種なのである。

Qatar Airways

Singapore Airli

**シンガポール航空の
スイート（旧タイプ）**

A380デビュー時のキャビン仕様。シンガポール航空では、A380登場に合わせて従来のファーストクラスを超える豪華クラスを新たに設定した。写真は中央列で、仕切りを外すことで隣室と繋げた状態。

シンガポール航空のスイート（新タイプ）

現在のスイートはベッドとシートを分離したよりゴージャスな仕様に。場所は従来のメインデッキからアッパーデッキに変更、座席数も従来の12席から6席に半減した。

豪華キャビンが続々
「空飛ぶ豪邸」も登場

エアバスA380が商業運航便として就航したのは2007年10月25日のシンガポール航空が世界初。路線はシンガポール～シドニー線だった。A380のデビューに先立って、航空ファンや旅行ファンが心待ちにしていたのは、何よりもキャビン仕様の発表だ。そして世界最初のA380オペレーターとなったシンガポール航空は、期待に違わぬ豪華仕様のキャビンをこの総二階建て機に設定した。モノクラスならば最大850席以上を設けられるA380に、シンガポール航空

は3クラスでわずか471席しか設置しなかったのである。ちなみにメーカー発表の3クラスの標準座席数は525席だ。

各クラスの座席数はスイートが12席、ビジネスクラスが60席、エコノミークラスが399席。「スイート」とは従来のファーストクラスを超える、A380のために用意された新クラスで、スライドドア付きの個室型シートプロダクトである。メインデッキに設定されたスイートは1-2-1の4アブレストで、中央列の2席は仕切りを取り外すことでダブルベッド仕様にもなる機構を備えていた。まさに「空飛ぶホテル」と表現するにふさわしい豪華キャビンだったが、シンガポール航空はのちにス

**シンガポール航空の
ビジネスクラス（旧タイプ）**

ビジネスクラスは二人が並んで座れるワイドなフルフラットシートを導入。

シンガポール航空のビジネスクラス（新タイプ）

シンガポール航空はA380のプロダクトを全面刷新。クラス編成もプレミアムエコノミーを追加した4クラスとなった。

エミレーツ航空のファーストクラス
エミレーツ航空も個室型プロダクトをファーストクラスに導入。各席にはミニバーなども用意されている。

エミレーツ航空の
シャワールーム
ファーストクラス乗客向けに用意されたシャワースパ。利用するには事前に予約が必要。

エミレーツ航空の
バーカウンター
上級クラス乗客が利用できるバーカウンター（機内ラウンジ）。バーテンダーとして客室乗務員がドリンクを提供してくれる。

イートのプロダクトを全面刷新してベッドとシートを完全分離し、よりホテルの部屋に近い空間に進化させている（設定座席数は6席に変更の上、アッパーデッキに配置）。また、ビジネスクラスはボーイング777-300ERにも装備されていたプロダクトではあるものの、大人二人が並んで座れるほどの横幅を持つフルフラットシートが導入され、A380のキャパシティを存分に活かすものとなった。ビジネスクラスもその後は新型シートに刷新されているが、いずれにしてもA380のデビュー当時としては他社のファーストクラスに匹敵、あるいは凌駕するような水準のプロダクトであった。また、現在はプレミアムエコノミーを追加した4クラス機に改修の上、運航が続けられている（総座席数は新仕様も471席）。

　画期的という意味では、シンガポール航空に次いでA380を導入したエミレーツ航空はさらに上をいくことになった。一般利用も可能な旅客機としては、初めて機内にシャワールームを設けたのだ。アッパーデッキ最前方の両側にそれぞれ1か所の計2か所に設置されたシャワールームはファーストクラスの乗客向けで、事前に予約することで利用できる。お湯が出るのは計5分間で使用可能な時間はメーターにより示される。5分間というのはやや短い気もするが、できるだけ余分な重量を減らして運航するのが基本である航空機のオペレーションに鑑みると、シャワー用に大量の水を搭載しているだけでも従来常識を打ち破る設備やサービスといえる。エミレーツ航空のファーストクラスは、当然ながらシートプロダクトもスライドドア付きの個室型だ。

　現在では、ビジネスクラスにおいても個室型シートプロダクトが珍しくなくなりつつあるが、こうしたキャビンのゴージャス化にA380が大きな影響を与えたのは間違いない。さすがにシャワールームを設置した機種はA380のほかに見当たらないが、個室型のプロダクト

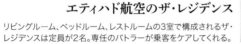

エティハド航空のザ・レジデンス

リビングルーム、ベッドルーム、レストルームの3室で構成されるザ・レジデンスは定員が2名。専任のバトラーが乗客をケアしてくれる。

は双発ワイドボディ機でも普及が進んでいる。

とはいえ、キャパシティの大きいA380でなくては到底実現不可能というキャビンが存在するのも事実。極め付けともいえるのが、エティハド航空のA380のアッパーデッキに設定された「ザ・レジデンス」(定員2名)である。「residence」とは「邸宅」などといった意味の英単語だが、その名の通りエティハド航空の「ザ・レジデンス」は「空飛ぶホテル」を超えて「空飛ぶ豪邸」といっても過言ではないほどの豪華空間だ。リビングルーム、ベッドルーム、レストルーム(シャワー&トイレ)の3室で構成され、旅客機の座席というよりは、完全に「部屋」と表現できる水準だ。しかも専任のバトラー(執事)まで付いて至れり尽くせりのサービスを提供してくれる。

超大型機が数を減らしていく一方の現状を考えると、今後「ザ・レジデンス」を超えるキャビンが登場するのを想像することはいささか難しい。

A380ならではの パブリックな設備

A380ならではのキャビン設備は最上位クラスだけのものではない。例えば前述のエミレーツ航空では、ビジネスクラス旅客も利用できるバーカウンターを設置しているが、こうした「パブリックな設備」が多いのもA380の特徴の一つで、カタール航空など他社にも類例が多い。A380は客席を設置するのに向いていないなどの「余分なスペース」が他機種に比べて多く、航空会社はこうしたスペースを機内ラウンジや広々としたラバトリーとして活用しているからだ。特にアッパーデッキ最前方は機体形状の関係でキャビンの横幅や天井高が減少するため、このスペースをどう活用するかが各社の工夫のしどころとなっている印象である。

また、ANAのA380「FLYING HONU」のメインデッキ後方には授乳や着替えなどの

Tokio Sato

Akira Fukazawa

ANAの ラバトリー

上級クラスが設定され ているアッパーデッキ のラバトリーは温水洗 浄便座付き。日本人に はありがたい装備だ。

ANAの カウチシート

エコノミークラスのシート をベッドとして使用可能な 「ANA COUCHii」。A380 ならではの装備とはいえな いが、キャビンスペースに余 裕があることで、バリエー ション豊かなレイアウトに できることは間違いない。

Akira Fukazawa

ANAの多目的ルーム

全席エコノミークラスのメインデッキ後方に設けられ た多目的ルーム。鏡や洗面台なども設置されている。

利用を想定した「多目的ルーム」が設置され た。ANAではA380を成田〜ホノルル 線専用機材としているが、日本を深夜に出 発してホノルルへ朝到着するハワイ線の場 合、現地到着後すぐに観光などへ出かけら れるよう機内で着替えを済ませておきたいと いう需要が高い。「FLYING HONU」のメイ ンデッキは全席がエコノミークラスだが、誰 でも利用できる多目的ルームはキャビンに余 裕のあるA380だからこそ設置できた設備の 一つと言える。ちなみに「FLYING HONU」 では上級クラスが設定されるアッパーデッキ のラバトリーに温水洗浄便座を設置してい る。ANAでは、それ以前に777-300ER、 787、767-300ERにも温水洗浄便座を設 置しているからA380独自というわけではない のだが、エアバス機としては世界初の装備 となった。これは日本の航空会社ならではの こだわりといったところだろうか。

　搭乗クラスを問わず利用可能な設備として は大韓航空が設置した免税品展示コー ナーもその一つだ。通常、機内で購入する

免税品は、機内誌やIFEなどに掲載された カタログで選ぶものだが、商品を品定めす るのに実物を見てみたいという人は少なくない だろう。そこで大韓航空ではこうした免税品 をメインデッキ最後方のショールームで展示 し、実物を確認できるようにしている。

　航空会社は限られた機内空間を最大限 有効活用するために、できるだけ効率的に シートを配置したり設備をレイアウトしたりして いる。最大限までシートを詰め込んだLCC の高密度配置のキャビン仕様はその典型だ が、できるだけ無駄なスペースを無くしたいと いう点ではフルサービスキャリアも基本的な 発想は変わらない。しかし、A380を導入 した航空会社の大半がメーカー発表の標 準座席数を下回る400席台〜500席前後 のキャビン仕様とした。誤解を恐れずに言 えば、「無駄なスペース」こそがA380最大 の魅力であることを航空会社が認識してい たからであろう。ボーイング747も登場初期 は広いキャビンスペースを持て余す航空会 社が多く、アッパーデッキは機内ラウンジな

航空会社別・A380の座席数 ※退役済みの航空会社は除く

航空会社名	クラス				総座席数	備考
	F	C	PY	Y		
シンガポール航空	6	78	44	343	471	Fはスイート
エミレーツ航空	14	76	56	338	484	
	14	76	—	399	489	
	14	76	—	427	517	
	—	58	—	557	615	
エティハド航空	2*+7	70	—	405	484	*ザ・レジデンス（定員2名）
カタール航空	8	48	—	461	517	
ルフトハンザ ドイツ航空	8	78	52	371	509	
ブリティッシュ・エアウェイズ	14	97	55	303	469	
カンタス航空	14	64	35	371	484	
	14	70	60	341	485	
タイ国際航空	12	60	—	435	507	
大韓航空	12	94	—	301	407	
アシアナ航空	12	66	—	417	495	
全日本空輸	8	56	73	383	520	

どとして使用された。

近年の航空業界は運賃・サービスの両面において競争が激化する一方、航空燃料は高止まりを続けて運航コストが上昇、さらには新型コロナのパンデミックやウクライナ戦争などの国際情勢の悪化が追い打ちをかけて航空会社の事業環境は厳しさを増している。こうした状況の中で航空会社が効率性を最優先とするのは企業の戦略としてやむを得ないが、それでも「空の豪華客船」として旅行者に夢を見せてくれるA380が特別な旅客機であることに変わりはない。残念ながら製造が打ち切られはしたものの、現在運航されているA380が1日でも長く、そして1機でも多く活躍し続けることを願いたい。

Konan Ase

ルフトハンザ ドイツ航空のラバトリー

胴体幅や高さが狭くなる機内最前方は近くに階段があることもあってシートが設置しにくく、上級クラス向けのラバトリーに充てられることが多い。洗面台も含めたスペースは他機種では考えられないほど広い。

Korean Air

大韓航空の機内ラウンジ

キャパシティの大きいA380ではシートを設置するのに不向きなスペースが他機種より多いため、機内ラウンジなどに利用する航空会社が多い。

超大型四発機の
パフォーマンス

現代のジェット旅客機は、速度ではなく燃費などの効率性の高さでその能力を競うようになっている。
効率性の高い旅客機は、その分だけ航続距離も延びることになる。
超大型四発機の進化の歴史を振り返っても、航続性能が重要なファクターとなってきた。
最終的には地球上の主要な2都市を結ぶほとんどの路線をノンストップで結ぶことができるまでに航続能力を高めた747やA380。
しかし、待ち受けていたのは効率性をさらに高めた中・大型の双発長距離機の登場だった。

文=阿施光南

航続性能が不足気味だった
初期型のボーイング747

　航空機の性能を測る尺度はさまざまだが、ジェット旅客機ではもはや速度は比較の対象にはならなくなっている。1960年代に英仏米ソで開発を競っていた超音速旅客機は燃費が悪く、1970年代の石油ショックによってほぼ息の根を絶たれた。現代のジェット旅客機の速度はマッハ0.8前後の横並びで、あとはいかに少ない燃料で経済的に飛べるかが重視されている。

　燃費をよくするには、空気抵抗を小さく、重量を軽く、効率のよいエンジンを装備するのが基本だ。燃費のよさはフライトごとの運航費を引き下げるだけでなく、航続距離を延ばすことにも貢献する。世界最初のジェット旅客機コメットはプロペラ機とは比較にならない高速性能が自慢だったが、燃費が悪く航続距離が短いためプロペラ機ではノンストップで飛べたルートでも途中で着陸して給油する必要があった。まだ給油できる空港があればいいが、経由地の確保できない洋上路線となるとお手上げだ。国際線旅客機

として成功するためには、せめて大西洋を横断できる航続距離は必須である。

たとえばニューヨークからパリやロンドンへの距離は6,000km弱である。それに対してボーイング初のジェット旅客機707の、ターボジェットを装備した初期型の航続距離は5,600km。強い追い風に乗ればノンストップで飛べるが、基本的には途中給油が必要だろう。無理なくノンストップフライトが可能になったのは燃費のよいターボファンを装備してからで、707-320Bでは航続距離が9,300kmに延びた。これだけの航続距離があれば、日本からアンカレッジやホノルルを経由しての太平洋横断路線やヨーロッパ路線も就航可能になる。同じく長距離国際線を念頭に置いた747でも、こうした数字がひとつの目安となるだろう。しかし747は当初計画よりも機体重量が超過してしまい、なかなか期待通りの性能を発揮できなかった。

もちろんローンチカスタマーであるパン・アメリカン航空が狙った大陸間路線に就航することはできたが、区間距離や気象条件によっては貨物を減らさなくてはならないこともあったはずだ。旅客機は満席の乗客、貨物室いっぱいの貨物、そして満タンの燃料を積んでしまうと最大離陸重量を超えてしまう。かといって燃料を減らせば目的地に到達できないし、乗客を乗せなければ旅客機として意味がない。あとは貨物を減らすということになるが、それだけ航空会社の収益は小さくなってしまう。

太平洋線直行化を実現した画期的な747-200Bの登場

航続距離を延ばすには最大離陸重量を大きくしてより多くの燃料を積めるようにすればいいが、そのためには構造も強化しなくてはなら

Konan Ase

エンジン性能の問題から長距離路線では航続能力が不足気味だった初期の747。その後もエンジンの改良が続けられ、長距離機として最も優れたパフォーマンスを発揮する機種へと進化していった。

ないから機体自体も重くなってしまうし、重くなった機体を飛ばすにはより強力なエンジンも必要になる。ところが747用のJT9Dエンジンは計画通りの推力を発揮するのにも苦労していたから、さらに推力増強どころではなかった。一時しのぎでエンジン内部に水を噴射して推力を上げるようにしたこともあるが、そのために搭載する水の重量は貨物搭載量などを減らす要因になる。

JT9Dはプラット&ホイットニーにとっても最初の大バイパス比ターボファンであり、米空軍のC-5ギャラクシー用にGEが開発していたTF39（この民間型がCF6になる）よりもさらに大きな推力を要求されていたから、そう簡単に実現できるものではなかった。747が型式証明を取得したあとでも思うように生産が進まず、エバレット工場前のフライトラインにはエンジンなしの747が並んだこともあったほどだ。しかし安定して生産できるようになる頃には推力向上の余地も生まれ、これを装備した改良型747の実現にも目処がたった。この改良型は暫定的に747Bと呼ばれていたが、すぐに747-200Bというモデル名に変更され、もともとの747は747-100と呼ばれることになった。ちなみに747-200Bの

747-8が装備するGEnxエンジン。最新の超大型機はほとんどの路線でノンストップ運航が可能になったが、同様に高い航続能力を身につけた次世代型双発機に対し、効率性で見劣りするようになってしまった。

続距離は11,720kmに減ってしまったが、ほとんどの路線は問題なく運航できるだろう。

また747-100には長距離型の747SPと短距離型の747SR-100という派生型も作られた。747SPは東京～ニューヨーク間をノンストップで飛ぶことを狙ったもので、そのために胴体を14.4m短くした。それだけ機体が軽く空気抵抗も小さくなったため、航続距離は当時としては前代未聞の10,800kmにすることができた。一方の747SR-100は短距離を多頻度で運航できるように機体構造を強化したもので、ランディングギアは重量の大きな747-200用のものを流用している。こちらは登録上の最大離陸重量を240t程度にして搭載できる燃料を少なくしているが、燃料タンク自体は747-100と同じなので機体のポテンシャルとしては同等の航続距離を持つと考えてよい。

航続能力をさらに高めた747-400
幻に終わったA380の派生型

「B」は747Bと呼ばれていた時代の名残だから、その前に747-200Aというモデルがあったわけではない。

747-100の最大離陸重量は333.4tだったのに対して、747-200Bは351.5tに増加したうえで燃料タンクも増設。航続距離は8,560kmから12,150kmへと、約1.4倍も増加した。これならばアンカレッジを経由しなくても、東京から米西海岸のサンフランシスコやロサンゼルスへと直行することができる。さらに747-200Bのアッパーデッキを延長して座席数を増したのが747-300だ。最大離陸重量や燃料容量は747-200Bと同じで機体重量が約10t増加したために航

747の性能が大きく飛躍したのは、1988年に初飛行した747-400だ。これは主翼を延長して翼端にウイングレットを装備し、さらに主翼と胴体の取付部やエンジンパイロンの形を洗練させて空気抵抗を小さくした。またエンジンも推力が大きいだけでなく燃費の

代表的な超大型四発機の航続能力比較

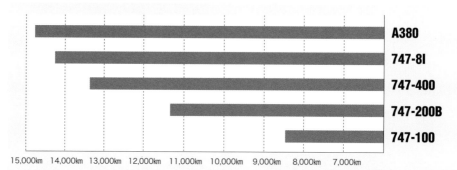

よいものに変更し、さらに水平尾翼内にも燃料タンクを増設した。空気抵抗が小さく、燃費がよく、たくさんの燃料が積めるのだから航続距離は13,492〜14,205kmへと延び、日本からヨーロッパや米東海岸への直行も可能になった。

ちなみに747-200や747-300でも高効率のJT9D-7R4G2エンジンなどを装備したモデルではヨーロッパやアメリカ東海岸への直行は可能だったが、そのためにはリクリアランスという飛行方式を使う必要があった。旅客機は目的地まで飛ぶのに必要な燃料に加えてさまざまな事態を想定した予備燃料を搭載することが義務づけられている。距離が長いほど予備燃料も多く必要になるため、はじめに最終目的地の手前の空港までの管制承認（ATCクリアランス）を取り、そこに着く前の飛行中に燃料残量が十分ならば最終目的地までの承認を取り直すのがリクリアランス方式である。いわば機体性能の向上ではなく手続き方法を工夫しただけの航続距離延長だが、747-400ではそうした抜け道のような方法を取る必要がなくなった。

最終型の747-8では航続距離は14,320kmで、747-400より延びたとはいっても同等のレベルにすぎない。これは747-8の胴体が延長されてより重くなったということと、747-400と同程度の航続距離であっても世界の主要都市のほとんどをノンストップで結べるために、無理にさらに長い航続距離をめざして大改造をするリスクを取らなかったという事情がある。

それはライバルのA380にとっても同じで、航続距離は747-8よりも長いとはいえ14,800kmで大差ない。もちろん、オーストラリアとヨーロッパあるいはアメリカ東海岸などのようにこれでもまだ届かないという長大路線はあるが、そうした限られた路線をノンストップで飛べる航続性能を求める航空会社は多くはない。ましてや最大級のA380を飛ばして採算が取れるという需要はさらに限られるだろう。そうした性能を実現するために開発に時間をかけ、それが機体価格を押し上げてしまうようではセールス上は得策とはいえないという判

とりわけ旅客型の販売不振が目立った747-8（手前）。皮肉にも新型の超大型四発機の前に立ち塞がったのは、ボーイングが開発した画期的な中型機である787などの次世代機だった。

A380には開発段階から胴体延長型などの派生型の計画があった。貨物型のA380Fは実際に発注があったものの、最終的には開発が中止された。

断である。ちなみにA380よりも後に登場したA350は16,100kmもの航続距離を持ち、アジアからアメリカ東海岸への直行も可能になっている。しかしA350の機体サイズならばA380では投入がむずかしい路線でも採算が取れるし、何よりも成長の著しいアジア地域ではそれだけの航続距離を持つということが有利になるからだろう。

A380には800型という1種類のモデルしかないが、計画としては貨物型のA380F

やストレッチ型のA380-900なども提案され、ロールアウトセレモニーの席上ではヴァージン アトランティック航空のリチャード・ブランソン会長が「すぐにでもほしいくらいだ」とスピーチするなど、いくつかの航空会社が興味を示した。しかしエアバスは十分な市場規模がないとして計画をローンチすることはなく、かわりに翼端に新型のウイングレットを装備したうえでキャビンのレイアウトを改良してより多くの座席を収容できるようにしたA380plusを提案した。それに対してカタール航空のアクバル・アル・バーキルCEOはA350のデリバリー式典の記者会見で「より燃費のよいエンジンへの換装が必要だ」と興味を示さなかった。実際にA380plusを発注した航空会社はない。A380は747-400に対しては座席あたりの運航コストを低く抑えることかできたが、777や787、A350など台頭する双発長距離機に対しては生半可な改良では太刀打ちできなくなっていたのである。

さらなる効率性向上を求める航空会社に対し、エアバスはウイングレットの改良などを施したA380plusを提案。新型ウイングレットのモックアップを装着した実機も航空ショーで登場したが、これに興味を示す航空会社は現れず、セールスには至らなかった。

エアバスA380
オペレーターリスト

14年間で251機が製造され、計15社が導入したエアバスA380。

日本でもANAが3機を導入して、「FLYING HONU」として活躍中だ。

しかし、「世紀の巨人旅客機」を運用するのは簡単なことではなく、

A380を導入したのはほとんどがメガキャリアだった。

A380は、運航する航空会社にも実力が求められる旅客機だったといえるかもしれない。

メガキャリアが顔を揃えるA380オペレーター

超大型機が衰退した背景

2021年12月に最終号機を引き渡して製造を終了したエアバスA380。2007年にシンガポール航空へ初号機を引き渡して以来、14年間で世界の14社が計251機の新造機を受領、他に1社がこのうちの1機を中古導入した。一方で、最近では早くもA380を退役させる航空会社が相次いでいる。新型コロナウイルスのパンデミックという予期せぬ大逆風があったとはいえ、初号機でさえ経済寿命に達していないことを考えれば、短命という感は否めない。

超大型四発機が苦戦する背景には燃費効率に優れる大型双発機の台頭があるが、より根本的な要因としては航空会社のビジネスモデルが変化したことが挙げられる。近年は世界各地で巨大なハブ空港が建設されたり、新滑走路建設による既存空港の機能強化が推進されたりしてきた。航空需要の急増に空港整備が追いついていなかった時代には、逼迫する空港の発着枠を有効活用するため1便で大量輸送する必要があったが、空港整備の進展により発着枠が増えたことで航空会社は戦略を切り替え、小型機による多頻度運航や中型機による長距離線の直行便運航などで旅客の利便性向上を志向するようになった。その結果、超大型機を運用できるのは需要旺盛な大幹線での運航実績が豊富な一部のメガキャリアに限られてしまい、それがA380やボーイング747-8Iの販売不振となって表れることとなった。

導入全社に四発機の運用経験

超大型四発機導入の難しさは過去の運用実績と照らし合わせるとより理解しやすい。A380の新造機を購入した全14社が過去に同じ超大型四発機である747を運航したことがあるのだ。このうちエミレーツ航空、カタール航空、中国南方航空の3社は貨物型のみの導入だったものの、エミレーツとカタールの中東2社はA380登場以前のエアバスにおいて最大機種だった四発機A340-600（旅客型）を導入していた。また、唯一747を運航した経験がないのはA380を中古導入したチャーターエアラインのハイフライ・マルタだが、同社もA340を運航している。つまり、過去に四発機の運航実績がないA380オペレーターは存在しないということになる。

日本ではANAの発注前にスカイマークがA380を発注したものの、後にこれをキャンセルして巨額の違約金が発生、同社が2015年に経営破綻する一因となった。結果論になるが、それまで双発機しか運航実績のなかったスカイマークが史上最大の旅客機を導入すること自体、いささか無理のある判断だったということがいえるだろう。

ちなみに、ライバル機となるボーイングの747-8は、旅客型を導入した航空会社がルフトハンザ、大韓航空、中国国際航空の3社しかない。そしてこのうちの2社がA380オペレーターであるのは偶然とはいえまい。超大型四発機が時代の趨勢から取り残されてしまったことは事実だが、別の見方をすれば、A380を運航できる航空会社は抜きん出た力を持つメガキャリアであるともいえよう。

■過去にボーイング747の導入実績のあるA380オペレーター

ANA	アシアナ航空
ブリティッシュ・エアウェイズ	中国南方航空（※）
エールフランス航空	エミレーツ航空（※）
ルフトハンザ ドイツ航空	カタール航空
シンガポール航空	エティハド航空（※）
マレーシア航空	カンタス航空
タイ国際航空	
大韓航空	※貨物型のみ導入

日本の航空会社として初めてA380を導入したのがANA。成田～ホノルル線に固定投入するという思い切った戦略が功を奏し、コロナ禍前は搭乗率も高かった。全3機が特別塗装機「FLYING HONU」として運航される。

[導入機数] 3機

全機が特別塗装機!
ハワイ路線に限定投入

全日本空輸 (ANA)

かつては世界有数の747オペレーターだったブリティッシュ・エアウェイズ。同じ超大型四発機のA380を12機導入、主にアメリカ方面への大西洋路線に投入している。コロナ禍では運休していたが、2022年夏以降は路線復帰を果たした。

[導入機数] 12機

超大型四発機の実績豊富な
メガキャリア

ブリティッシュ・エアウェイズ

A380を製造するエアバス社のお膝元であるフランスのフラッグキャリア。全10機を導入し、一時期は成田線にも投入していたことがあった。コロナ禍による長距離国際線需要の急減などを受けてフリートが再編され、全機が退役済み。

[導入機数] 10機

エアバスお膝元の航空会社からは
全機退役

エールフランス航空 (フランス) [退役]

Lufthansa

A350XWBの登場までは、長距離用機材には四発機ばかりを導入してきたルフトハンザ ドイツ航空。現在も超大型機としてA380と747-8Iを併用している。一時は退役する方針も明らかにされたが、777Xの開発遅れなどもあり、2023年夏季ダイヤで路線復帰する予定。

［導入機数］14機

**四発機にこだわった
航空会社の旗艦機種**

ルフトハンザ ドイツ航空

Airbus

言わずと知れた世界最大のA380オペレーターがエミレーツ航空だ。導入機数は123機にも上り、第2位のシンガポール航空に100機近い大差を付けており、A380の全受注機数の約半分を占める。客室にシャワーを設置するなど、豪華なキャビンでも話題を呼んだ。

［導入機数］123機

**ダントツ世界一の
A380オペレーター**

エミレーツ航空

Airbus

各社が豪華仕様を競うA380だが、世界で最も豪華なキャビンとして話題を呼んだのがエティハド航空の「ザ・レジデンス」。リビング、寝室、シャワールームで構成される設備はまるでホテルだ。コロナ禍で運休していたが、2023年夏に路線復帰予定。

［導入機数］10機

**旅客機史上
最も豪華なキャビン**

エティハド航空

CharlieFURUSHO

全社がA380を導入した「中東ビッグスリー」の一角を占めるカタール航空。同社はコロナ禍においても多くの路線を維持し続けて存在感を示した。一時期A380の運航を見合わせ、退役方針も固めていたが、その後撤回して路線復帰を果たしている。

[導入機数] 10機

需要回復で退役方針を撤回し、
現在も活躍中
カタール航空

Airbus

A380を最初に受領し、商業運航したのがシンガポール航空。導入機数も24機とエミレーツ航空に次ぐ多さだ。完全個室型のファーストクラスを設けるなど、A380ならではの客室設備を実現した。

[導入機数] 24機

記念すべき世界初の
A380オペレーター
シンガポール航空 (シンガポール)

CharlieFURUSHO

東南アジアはA380のオペレーターが比較的多いが、マレーシア航空もその一社。日本路線にも投入したことがあるが、経営不振にコロナ禍が追い打ちをかける中で同社は高効率機への切り替えを進めており、A380は2022年に退役した。

[導入機数] 6機

経営再建の中で整理対象になり
完全退役済み
マレーシア航空 [退役]

タイのフラッグキャリアであるタイ国際航空。マレーシア航空と同様、経営不振が続いており、コロナ禍の中で重荷になっていたA380を退役させる方針だったが、需要の回復を受けてA380復帰への検討が行われており、行方が注目されている。

[導入機数] 6機

退役方針から一転、
路線復帰を検討か？

タイ国際航空

ルフトハンザとともにA380と747-8Iを併用する数少ない航空会社が大韓航空。アメリカ方面などの長距離国際線に就航しているが、日本路線に投入されることもある。

[導入機数] 10機

A380を
ライバル機747-8Iと併用中

大韓航空

韓国で2社目のA380オペレーターとなったアシアナ航空。短距離の日本路線への投入実績もある。2020年には大韓航空に買収され、統合されることが決まっているアシアナ航空だが、両社で運航されるA380が今後どうなるのかも注目される。

[導入機数] 6機

大韓航空との合併で
気になるフリート再編

アシアナ航空

CharlieFURUSHO

中国で唯一A380を導入したのが中国南方航空。キャビンは国際線仕様の3クラス機だったが、国内幹線でも活躍した。成田線に投入されたこともあるが、コロナ禍による航空需要減少などの影響を受けて退役した。

［導入機数］5機

世界で唯一、
国内線で活躍したA380
中国南方航空［退役］

747-400/-400ERの後継となる、主にアメリカ方面向けの長距離路線用機材としてA380を導入。コロナ禍による国際線需要の大幅な落ち込みを受けて全機がアメリカでストアされていた時期もあったが、順次復帰が始まっている。

［導入機数］12機

長距離路線の
フラッグシップとして運用
カンタス航空

Airbus

地中海の小国マルタに拠点を置くチャーターエアラインのハイフライ。2018年から2020年にかけて、シンガポール航空からリースしたA380を運航し、他社にウェットリースもしていた。現在のところ、中古でA380を導入した世界唯一の航空会社となっている。

［導入機数］1機（中古）

初にして唯一の
中古機オペレーター
ハイフライ・マルタ［退役］

■航空会社別・エアバスA380全機リスト

※航空会社が運航した機体のみ(試験機などは除く)。退役機含む

製造番号 (MSN)	運航会社	登録記号	装備 エンジン	製造番号 (MSN)	運航会社	登録記号	装備 エンジン
152	アシアナ航空	HL7625	Trent900	133	エミレーツ航空	A6-EEL	GP7200
155	アシアナ航空	HL7626	Trent900	134	エミレーツ航空	A6-EEM	GP7200
179	アシアナ航空	HL7634	Trent900	135	エミレーツ航空	A6-EEN	GP7200
183	アシアナ航空	HL7635	Trent900	136	エミレーツ航空	A6-EEO	GP7200
230	アシアナ航空	HL7640	Trent900	138	エミレーツ航空	A6-EEP	GP7200
231	アシアナ航空	HL7641	Trent900	139	エミレーツ航空	A6-EER	GP7200
033	エールフランス航空	F-HPJA	GP7200	140	エミレーツ航空	A6-EES	GP7200
040	エールフランス航空	F-HPJB	GP7200	141	エミレーツ航空	A6-EEQ	GP7200
043	エールフランス航空	F-HPJC	GP7200	142	エミレーツ航空	A6-EET	GP7200
049	エールフランス航空	F-HPJD	GP7200	147	エミレーツ航空	A6-EEU	GP7200
052	エールフランス航空	F-HPJE	GP7200	150	エミレーツ航空	A6-EEV	GP7200
064	エールフランス航空	F-HPJF	GP7200	153	エミレーツ航空	A6-EEW	GP7200
067	エールフランス航空	F-HPJG	GP7200	154	エミレーツ航空	A6-EEX	GP7200
099	エールフランス航空	F-HPJH	GP7200	157	エミレーツ航空	A6-EEY	GP7200
115	エールフランス航空	F-HPJI	GP7200	158	エミレーツ航空	A6-EEZ	GP7200
117	エールフランス航空	F-HPJJ	GP7200	159	エミレーツ航空	A6-EOA	GP7200
166	エティハド航空	A6-APA	GP7200	162	エミレーツ航空	A6-EVB	Trent900
170	エティハド航空	A6-APB	GP7200	164	エミレーツ航空	A6-EOB	GP7200
176	エティハド航空	A6-APC	GP7200	165	エミレーツ航空	A6-EOC	GP7200
180	エティハド航空	A6-APD	GP7200	167	エミレーツ航空	A6-EVA	Trent900
191	エティハド航空	A6-APE	GP7200	168	エミレーツ航空	A6-EOD	GP7200
195	エティハド航空	A6-APF	GP7200	169	エミレーツ航空	A6-EOE	GP7200
198	エティハド航空	A6-APG	GP7200	171	エミレーツ航空	A6-EOF	GP7200
199	エティハド航空	A6-APH	GP7200	172	エミレーツ航空	A6-EOG	GP7200
233	エティハド航空	A6-API	GP7200	174	エミレーツ航空	A6-EOH	GP7200
237	エティハド航空	A6-APJ	GP7200	178	エミレーツ航空	A6-EOI	GP7200
007	エミレーツ航空	A6-EDF	GP7200	182	エミレーツ航空	A6-EOJ	GP7200
009	エミレーツ航空	A6-EDJ	GP7200	184	エミレーツ航空	A6-EOK	GP7200
011	エミレーツ航空	A6-EDA	GP7200	186	エミレーツ航空	A6-EOL	GP7200
013	エミレーツ航空	A6-EDB	GP7200	187	エミレーツ航空	A6-EOM	GP7200
016	エミレーツ航空	A6-EDC	GP7200	188	エミレーツ航空	A6-EON	GP7200
017	エミレーツ航空	A6-EDE	GP7200	190	エミレーツ航空	A6-EOO	GP7200
020	エミレーツ航空	A6-EDD	GP7200	200	エミレーツ航空	A6-EOP	GP7200
023	エミレーツ航空	A6-EDG	GP7200	201	エミレーツ航空	A6-EOQ	GP7200
025	エミレーツ航空	A6-EDH	GP7200	202	エミレーツ航空	A6-EOR	GP7200
028	エミレーツ航空	A6-EDI	GP7200	203	エミレーツ航空	A6-EOS	GP7200
030	エミレーツ航空	A6-EDK	GP7200	204	エミレーツ航空	A6-EOT	GP7200
042	エミレーツ航空	A6-EDM	GP7200	205	エミレーツ航空	A6-EOU	GP7200
046	エミレーツ航空	A6-EDL	GP7200	206	エミレーツ航空	A6-EOV	GP7200
056	エミレーツ航空	A6-EDN	GP7200	207	エミレーツ航空	A6-EOW	GP7200
057	エミレーツ航空	A6-EDO	GP7200	208	エミレーツ航空	A6-EOX	GP7200
077	エミレーツ航空	A6-EDP	GP7200	209	エミレーツ航空	A6-EOY	GP7200
080	エミレーツ航空	A6-EDQ	GP7200	210	エミレーツ航空	A6-EOZ	GP7200
083	エミレーツ航空	A6-EDR	GP7200	211	エミレーツ航空	A6-EUA	GP7200
086	エミレーツ航空	A6-EDS	GP7200	213	エミレーツ航空	A6-EUB	GP7200
090	エミレーツ航空	A6-EDT	GP7200	214	エミレーツ航空	A6-EUC	GP7200
098	エミレーツ航空	A6-EDU	GP7200	216	エミレーツ航空	A6-EUD	GP7200
101	エミレーツ航空	A6-EDV	GP7200	217	エミレーツ航空	A6-EUE	GP7200
103	エミレーツ航空	A6-EDW	GP7200	218	エミレーツ航空	A6-EUF	GP7200
105	エミレーツ航空	A6-EDX	GP7200	219	エミレーツ航空	A6-EUG	GP7200
106	エミレーツ航空	A6-EDY	GP7200	220	エミレーツ航空	A6-EUH	GP7200
107	エミレーツ航空	A6-EDZ	GP7200	221	エミレーツ航空	A6-EUI	GP7200
108	エミレーツ航空	A6-EEA	GP7200	222	エミレーツ航空	A6-EUJ	GP7200
109	エミレーツ航空	A6-EEB	GP7200	223	エミレーツ航空	A6-EUK	GP7200
110	エミレーツ航空	A6-EEC	GP7200	224	エミレーツ航空	A6-EUL	GP7200
111	エミレーツ航空	A6-EED	GP7200	225	エミレーツ航空	A6-EUM	Trent900
112	エミレーツ航空	A6-EEE	GP7200	226	エミレーツ航空	A6-EUN	Trent900
113	エミレーツ航空	A6-EEF	GP7200	227	エミレーツ航空	A6-EUO	Trent900
116	エミレーツ航空	A6-EEG	GP7200	228	エミレーツ航空	A6-EUP	Trent900
119	エミレーツ航空	A6-EEH	GP7200	229	エミレーツ航空	A6-EUQ	Trent900
123	エミレーツ航空	A6-EEI	GP7200	232	エミレーツ航空	A6-EUR	Trent900
127	エミレーツ航空	A6-EEJ	GP7200	234	エミレーツ航空	A6-EUS	Trent900
132	エミレーツ航空	A6-EEK	GP7200	236	エミレーツ航空	A6-EUT	Trent900

製造番号 (MSN)	運航会社	登録記号	装備 エンジン
238	エミレーツ航空	A6-EUU	Trent900
239	エミレーツ航空	A6-EUV	Trent900
240	エミレーツ航空	A6-EUW	Trent900
241	エミレーツ航空	A6-EUX	Trent900
242	エミレーツ航空	A6-EUY	Trent900
244	エミレーツ航空	A6-EUZ	Trent900
248	エミレーツ航空	A6-EVC	Trent900
249	エミレーツ航空	A6-EVD	Trent900
250	エミレーツ航空	A6-EVE	Trent900
252	エミレーツ航空	A6-EVF	Trent900
256	エミレーツ航空	A6-EVG	Trent900
257	エミレーツ航空	A6-EVH	Trent900
258	エミレーツ航空	A6-EVI	Trent900
259	エミレーツ航空	A6-EVJ	Trent900
260	エミレーツ航空	A6-EVK	Trent900
261	エミレーツ航空	A6-EVL	Trent900
264	エミレーツ航空	A6-EVM	Trent900
267	エミレーツ航空	A6-EVN	Trent900
268	エミレーツ航空	A6-EVO	Trent900
269	エミレーツ航空	A6-EVP	Trent900
270	エミレーツ航空	A6-EVQ	Trent900
271	エミレーツ航空	A6-EVR	Trent900
272	エミレーツ航空	A6-EVS	Trent900
137	カタール航空	A7-APA	GP7200
143	カタール航空	A7-APB	GP7200
145	カタール航空	A7-APC	GP7200
160	カタール航空	A7-APD	GP7200
181	カタール航空	A7-APE	GP7200
189	カタール航空	A7-APF	GP7200
193	カタール航空	A7-APG	GP7200
197	カタール航空	A7-APH	GP7200
235	カタール航空	A7-API	GP7200
254	カタール航空	A7-APJ	GP7200
014	カンタス航空	VH-OQA	Trent900
015	カンタス航空	VH-OQB	Trent900
022	カンタス航空	VH-OQC	Trent900
026	カンタス航空	VH-OQD	Trent900
027	カンタス航空	VH-OQE	Trent900
029	カンタス航空	VH-OQF	Trent900
047	カンタス航空	VH-OQG	Trent900
050	カンタス航空	VH-OQH	Trent900
055	カンタス航空	VH-OQI	Trent900
062	カンタス航空	VH-OQJ	Trent900
063	カンタス航空	VH-OQK	Trent900
074	カンタス航空	VH-OQL	Trent900
003	シンガポール航空	9V-SKA	Trent900
005	シンガポール航空	9V-SKB	Trent900
008	シンガポール航空	9V-SKD	Trent900
010	シンガポール航空	9V-SKE	Trent900
012	シンガポール航空	9V-SKF	Trent900
019	シンガポール航空	9V-SKG	Trent900
021	シンガポール航空	9V-SKH	Trent900
034	シンガポール航空	9V-SKI	Trent900
045	シンガポール航空	9V-SKJ	Trent900
051	シンガポール航空	9V-SKK	Trent900
058	シンガポール航空	9V-SKL	Trent900
065	シンガポール航空	9V-SKM	Trent900
071	シンガポール航空	9V-SKN	Trent900
076	シンガポール航空	9V-SKP	Trent900
079	シンガポール航空	9V-SKQ	Trent900
082	シンガポール航空	9V-SKR	Trent900
085	シンガポール航空	9V-SKS	Trent900
092	シンガポール航空	9V-SKT	Trent900

製造番号 (MSN)	運航会社	登録記号	装備 エンジン
243	シンガポール航空	9V-SKU	Trent900
247	シンガポール航空	9V-SKV	Trent900
251	シンガポール航空	9V-SKW	Trent900
253	シンガポール航空	9V-SKY	Trent900
255	シンガポール航空	9V-SKZ	Trent900
087	タイ国際航空	HS-TUA	Trent900
093	タイ国際航空	HS-TUB	Trent900
100	タイ国際航空	HS-TUC	Trent900
122	タイ国際航空	HS-TUD	Trent900
125	タイ国際航空	HS-TUE	Trent900
131	タイ国際航空	HS-TUF	Trent900
006	ハイフライ・マルタ （元シンガポール航空）	9H-MIP (ex.9V-SKC)	Trent900
095	ブリティッシュ・エアウェイズ	G-XLEA	Trent900
121	ブリティッシュ・エアウェイズ	G-XLEB	Trent900
124	ブリティッシュ・エアウェイズ	G-XLEC	Trent900
144	ブリティッシュ・エアウェイズ	G-XLED	Trent900
148	ブリティッシュ・エアウェイズ	G-XLEE	Trent900
151	ブリティッシュ・エアウェイズ	G-XLEF	Trent900
161	ブリティッシュ・エアウェイズ	G-XLEG	Trent900
163	ブリティッシュ・エアウェイズ	G-XLEH	Trent900
173	ブリティッシュ・エアウェイズ	G-XLEI	Trent900
192	ブリティッシュ・エアウェイズ	G-XLEJ	Trent900
194	ブリティッシュ・エアウェイズ	G-XLEK	Trent900
215	ブリティッシュ・エアウェイズ	G-XLEL	Trent900
078	マレーシア航空	9M-MNA	Trent900
081	マレーシア航空	9M-MNB	Trent900
084	マレーシア航空	9M-MNC	Trent900
089	マレーシア航空	9M-MND	Trent900
094	マレーシア航空	9M-MNE	Trent900
114	マレーシア航空	9M-MNF	Trent900
038	ルフトハンザ ドイツ航空	D-AIMA	Trent900
041	ルフトハンザ ドイツ航空	D-AIMB	Trent900
044	ルフトハンザ ドイツ航空	D-AIMC	Trent900
048	ルフトハンザ ドイツ航空	D-AIMD	Trent900
061	ルフトハンザ ドイツ航空	D-AIME	Trent900
066	ルフトハンザ ドイツ航空	D-AIMF	Trent900
069	ルフトハンザ ドイツ航空	D-AIMG	Trent900
070	ルフトハンザ ドイツ航空	D-AIMH	Trent900
072	ルフトハンザ ドイツ航空	D-AIMI	Trent900
073	ルフトハンザ ドイツ航空	D-AIMJ	Trent900
146	ルフトハンザ ドイツ航空	D-AIMK	Trent900
149	ルフトハンザ ドイツ航空	D-AIML	Trent900
175	ルフトハンザ ドイツ航空	D-AIMM	Trent900
177	ルフトハンザ ドイツ航空	D-AIMN	Trent900
262	全日本空輸	JA381A	Trent900
263	全日本空輸	JA382A	Trent900
266	全日本空輸	JA383A	Trent900
035	大韓航空	HL7611	GP7200
039	大韓航空	HL7612	GP7200
059	大韓航空	HL7613	GP7200
068	大韓航空	HL7614	GP7200
075	大韓航空	HL7615	GP7200
096	大韓航空	HL7619	GP7200
126	大韓航空	HL7621	GP7200
128	大韓航空	HL7622	GP7200
130	大韓航空	HL7627	GP7200
156	大韓航空	HL7628	GP7200
031	中国南方航空	B-6136	Trent900
036	中国南方航空	B-6137	Trent900
054	中国南方航空	B-6138	Trent900
088	中国南方航空	B-6139	Trent900
120	中国南方航空	B-6140	Trent900

撮影機体数は1,400以上！

ある日本人スポッターの
ジャンボハンティング記

写真=松広 清　インタビュー・文=編集部

1969年に初飛行し、半世紀以上にわたって合計1,574機が製造されたボーイング747。
日本でも「ジャンボ機」の愛称で親しまれ、歴代の旅客機の中で
ナンバーワンの人気を誇る機種と言っても過言ではないが、
1,574機の747のうち、なんと1,400を優に超える数の機体を写真に収めた日本人スポッターがいる。
「ジャンボハンター」としてファインダー越しに眺めてきた747の魅力や思い出について、
撮影してきた数々の写真とともに語ってもらった。

最初はコンコルド狙いで
旅客機写真の世界へ

　ボーイング747ジャンボジェットは、プロ・アマチュアを問わず、多くのカメラマンが被写体として撮影してきた人気機種である。そんな747を2022年末現在で1,438機も撮影したという実績を持つのが東京都在住の松広清さんだ。松広さんが一眼レフを購入して本格的に撮影活動を始めたのは今から50年近く前の高校1年生の頃。ただし、被写体は飛行機ではなく鉄道、特に当時引退が近づいていた国鉄の蒸気機関車（蒸機）が主なターゲットだった。

　国鉄蒸機引退後の大学時代、さらに就職して大手損害保険会社の社員となってからも松広さんの鉄道写真撮影趣味はEF58などの電気機関車を主な被写体に変えて続いていくのだが、1989年にイギリスへ1年間の社会人留学をしたことが一つの転機となる。留学中に現地で動態保存される蒸機の撮影に精を出し始めた松広さんだったが、ある時「そういえばイギリスにはコンコルドが飛んでいるな」と思い、カメラ片手に空港へ足を向けたのだ。

　現在までに実用運航された唯一の超音速旅客機であるコンコルドは747と同じ1969年初飛行。747が当時世界最大の旅客機であったのに対し、コンコルドは世界最速の旅客機としてともに航空輸送の新時代を切り拓き、さらなる技術発展の可能性を感じさせる憧れの存在だった。しかし、残念ながら運航しているのがブリティッシュ・エアウェイズとエールフランス航空の2社だけで、就航路線も大西洋線が中心だったことから、日本ではなかなかお目にかかることのできない機種でもあった。

プロフィール

松広 清さん
（まつひろ きよし）
1959年6月生まれ。
東京都出身。

高校時代から鉄道写真を撮り始め、大学卒業後は大手損害保険会社に勤務する傍ら、航空・鉄道写真を撮り続ける。
航空・鉄道写真家の伊藤久巳氏とは高校時代に鉄道の撮影現場で出会って以来の友人。

「せっかくイギリスにいるのだから、コンコルドくらいは写真に収めておこう」

　そう思い立って1990年4月13日にロンドン・ヒースロー空港へ赴いたのが、のちに1,400機以上もの747を写真に収める松広さんの「ジャンボハンティング生活」のきっかけとなる。

　気軽に空港へ赴いたわりに、正確な日付がわかっているのは松広さんが記録魔だからだ。飛行機を撮り始めたこの日以降、撮影した機体の登録記号（レジ）やラインナンバー（L/N）もすべてデータリスト化されている。飛行機撮影の世界で、撮影した機体のレジをコレクションすることを「スポッティング」というが、松広さんは鉄道写真でも車輌番号をコレクションする「トレインスポッター」であったから、撮影した機体のレジを記録するのは半ば習性のようなものであった。

ジャンボが集まりやすかった
ヒースロー空港と成田空港

　前述の通り、撮影初日のお目当てはコンコルドだったものの、空港にいれば当然ながら他の機体も撮影することになる。当時は全く意識していなかっただろうが、これらの機体

数あるジャンボの派生型の中でも、松広さんがお気に入りだというのが胴体短縮型の747SP。ずんぐりした独特のフォルムに加え、急角度の離陸姿勢に惹かれるという。

の中に「最初に撮影した747」が含まれていた。登録記号は「N902PA」（L/N72）、世界有数の747オペレーターだったパン・アメリカン航空の747-100である。同じ日にはブリティッシュ・エアウェイズの「G-BNLH」（L/N779）も撮影。こちらは「最初に撮影したダッシュ400」となった。

その後、1990年6月9日には早くも100機目（南アフリカ航空／ZS-SAT［L/N577］／ヒースロー空港）に到達、1993年3月20日に500機目（大韓航空／HL7470［L/N713］／成田空港）、1998年10月4日に1,000機目（ブリティッシュ・エアウェイズ／G-CIVS［L/N1148］／ヒースロー空港）

とコレクションを積み重ね、1,400機目となったのは2019年1月28日に羽田空港で撮影したカタール・アミリフライト（政府機）の「A7-HHE」（L/N1439）だった。1,000機までは10年未満で到達したのに対し、その後の400機を撮影するのに20年以上を要したことを見ると、未撮影機が少なくなるほど"ハンティング"が困難になっていくことがわかる。

また、節目となった撮影場所にヒースローが多いのは、松広さんが留学以外にも1994年から4年間のロンドン勤務を経験しているためだ。松広さんが1,400機以上の747を撮影できた理由の一つはロンドンに縁が深かったこと、そして日本人であったこと、といってもいいだろう。というのは、かつてのヒースロー空港と成田空港は世界でも屈指の「747が集まる空港」だったからである。

現在では新興国が発展し、世界各地にハブ空港が次々と建設されるに至ったが、20世紀終盤まで日本とイギリスは地域を代表する先進国で航空需要が集中。一方で表玄関となる国際空港の発着能力はお世辞にも高いとは言えず（ヒースローは滑走路2本、成田は当時1本）、発着枠は常に逼迫していた。結果的に、少ない発着枠で大

1974年1月15日、父親の転勤先だったロンドンから帰国する際に乗ったパンナム機が747との出会い。この機体（N753PA）はのちにエバーグリーン・インターナショナル航空の貨物機（N473EV）として活躍、1994年2月17日に成田でファインダー越しに再会を果たした。

思い出の品となっているパンナムのバッグ。今となってはかなり貴重なグッズだ。

量の旅客を輸送するため、この両空港には世界中から747が集結したのだ。しかも滑走路本数が少ない空港の方が狙いの機体を撮りやすい。日本人でイギリス在住経験も長かったからこそ、松広さんは成田空港とヒースロー空港で効率的に747をハンティングできたわけだ。

ちなみに1990年4月13日に初めてヒースロー空港を訪れて以来、2022年末までの航空機撮影日数は累計1,591日に及び、このうち成田空港が823回、羽田空港が325回、ヒースロー空港が221回で、それぞれで651機、97機、279機の747を撮影したという。この3空港での"水揚げ"は全撮影機体数の71%を占め、とりわけ成田とヒースローの効率が良い。

また、イギリス駐在中には、欧州大陸や北米、南アフリカ、香港などの主要空港に

も頻繁に撮影に出かけて撮影機体数を増やすことができた。松広さんはこれまでに世界35空港で747を撮った経験があるというが、これもまた世界各地から路線がのびるロンドンに在住していたことの余禄といえるだろう。

なお、ヒースロー空港で旅客機を撮り始めた松広さんが"成田デビュー"を果たしたのは同じ1990年のことで、成田で最初に撮っ

かつての成田空港は誘導路に747がずらりと並ぶ光景が珍しくなかった「ジャンボ王国」。松広さんも成田で651機の747をコレクションに収めた。

アンゴラ航空の747-300。この機体を撮りたいがために、わざわざ南アフリカのヨハネスブルグ空港まで出向いた。

松広さんの撮影フィールドは空港だけではなく、時には米軍基地などへも足を運ぶ。こちらは747を改造したE4B。空中での作戦指揮機能を有する特殊な機体だ。横田基地で撮影。

富士山をバックに飛行するアメリカ空軍のVC-25A「エアフォースワン」。この時、搭乗していたのはトランプ大統領だ。

こちらもエアフォースワン、——ではなく映画『エアフォースワン』の撮影のため塗り替えられたカリッタ航空の機体（N703CK）。元JAL機でもある。

たジャンボはエジプト航空の747-300（SU-GAM）だった。

乗っても撮っても魅力的
お気に入りはあの「異端児」

そんな松広さんがジャンボに惹かれたそもそもの理由は、乗り物としての魅力と被写体としてのかっこよさの両方だという。

実は松広さんの人生でイギリス在住経験は計3回あり、少年期に父親の仕事の関係でロンドンへ移り住んだのが最初だった。1971年に一家で赴任した際は欧州直行便がなく、羽田空港から利用したモスクワ経由ヒースロー行きのJAL・ダグラスDC-8が初めての飛行機搭乗体験。そして1974年に当時の南回りルートの経由便で帰国した際に初めて搭乗する機会を得たのが747とのファーストコンタクトだった。これは偶然では

なく、もともと飛行機好きだった父親が赴任時には乗れなかった新鋭機のジャンボに乗りたくての選択だったというから、松広さんの飛行機好きは血筋なのかもしれない。また、その便の運航会社は奇しくも「最初に撮った747」と同じパンナムだった。松広さんの人生は、ロンドンとパンナムによほど縁があるらしい。

1970年代、すでに長距離国際線の主役はジェット機になっていたが、ボーイング707やダグラスDC-8をはじめ、いずれもナローボディ機。巨人機として知られる747は世界初のワイドボディ旅客機でもあったから、その巨体と広々とした客室空間が松広少年の心に強烈なインパクトを残したのは当然だった。

被写体としても747は特別な旅客機で、一部2階建ての胴体は流麗なフォルムを併せ持ち、他のどの機種とも似ていない独特の存在感を放つ。なかでも、松広さんが魅力として挙げるのはファインダー越しに眺めた離陸姿勢のかっこよさだ。また、数ある747の派生型の中では「異端児」と呼ばれることもある胴体短縮型の747SPがお気に入りで、「ずんぐりして不恰好なフォルムが好き。しかもエアボーン時の機首上げ姿勢が素晴らしいですね」と松広さんは評する。45機しか

■1機目の747

1990年4月13日、ロンドン・ヒースロー空港で松広さんが初めて撮影した
ジャンボ。パン・アメリカン航空のN902PAで、型式は初期型の747-100。

■1機目のダッシュ400

同じ日に撮影したブリテッシュ・エアウェイズ（BA）のG-BNLHは「初め
て撮ったダッシュ400」。BAは世界最大のダッシュ400運航会社でも
あったので、ヒースローは「ジャンボハンティング」に最適な空港だった。

■100機目

最初のジャンボを撮影してから2か月も経たない1990年6月9日
には早くも100機目の大台に到達。こちらも撮影地はヒースロー
空港で、機体は南アフリカ航空のZS-SAT（747-300）だった。

■500機目

通算500機目は成田空港でゲット。撮影日は1993年3月
20日で、機体は大韓航空のHL7470（747-300）だった。

■1000機目

1998年10月4日にはついに1,000機目に到達！こちらも空港はヒー
スローで、機体はブリティッシュ・エアウェイズのG-CIVS（747-400）。

■1,400機目

1,400機目となったのは2019年1月28日に羽田空港で撮影した
カタール・アミリフライト（政府機）のA7-HHE（747-8I）だった。

製造されなかった747SPのうち42機を撮
影済みだという。

　747はコレクターとしての松広さんの好み
にも合致する機種だった。

「私の場合、鉄道写真も機関車などを撮影
して車輌番号を潰していくのが趣味だったん
です。ファンの多いD51形蒸気機関車の
製造数が1,115輌。ジャンボも1,000機を
超えている。これは"潰しごたえ"があると思

■1,438機目（2022年末時点・最新）

2022年の大晦日に成田空港で撮影したUPSのN607UP
（747-8F）。この機体が通算1,438機目の獲物となった。

啓徳空港時代の香港市内上空を旋回するエアホンコンの747F。いわゆる「香港カーブ」だ。松広さんが747を撮影するために足を運んだ空港は世界35か所にのぼる。

いましたね」

　とはいえ、果てしないほどの撮影活動に辛さや疲れは感じなかったのだろうか。

「むしろ仕事が大変だった時ほど趣味に熱中し、結果的に仕事と家庭のバランスも取れていたように思います。それに未撮影機を撮れた時の達成感は格別で、機体数が多くて難しいがゆえにやりがいを感じます」

製造終了の報に思うことは
「これで分母が決まった」

　これほどまでに松広さんを魅了した747だが、2020年7月、ボーイングはついに同機の製造終了を発表。そして2022年12月6日、最後の1機となるアトラス航空向け747-8Fの完成をもって半世紀以上にわたる747の製造に終止符が打たれた（引き渡しは2023年1月31日）。

　この歴史的な出来事について松広さんが

どう感じたのかを尋ねたところ、「寂しい思いはもちろんありますが時代の流れですね。でも、最初に頭に浮かんだのは『これで分母が決まった』ということでした」と語る。

　なるほど、これはコレクターならでは感想だ。松広さんが747の撮影を始めたのは1990年なので、そもそも「完全制覇」はできない。その時点ですでに事故や退役・解体により失われてしまった機体があるからだ。それでも撮影可能な機体は全機集めたいというのがコレクターの性というもの。そして、できれば「ゴール」が欲しい。最終号機の完成によって「残り何機」という目標が明確に設定できるようになったというわけである。

「分母が決まったので、あとは"分子"を自分で頑張るだけです」と松広さんは最終号機完成のニュースにもポジティブだ。

　ちなみに2022年末現在での未撮影機は136機。このうち解体されるなどして失われ

撮影データは表計算ソフトなどを利用して管理、さらにプリントとファイリングをして紙でも見られるようになっており、完璧！

成田空港近くでインタビュー中、誘導路に747が姿を現すと、ほとんど反射的にレンズを向ける松広さん。

た機体が73機あり、撮影可能な未撮影機は除籍された博物館保存機6機を除くと57機だという。「たった57機ならば、あとわずか」と思ってしまうが、そう甘くはない。運航実態を把握しづらい中東の王族が利用するプライベート機や籍は残るものの既に砂漠にストアされている機体など、撮影のハードルが高いターゲットが少なくないからだ。また、民間航空会社が運航している機体であっても日本線にはまず投入されない機体もある。それでも、このところUPSの747-8Fが頻繁に成田へ飛来するようになったことで未撮影機が一気に減ったという。

今後はロシアの航空会社にデリバリーされなかった747-8Iを改修して誕生する予定の新しいエアフォースワン（米国政府専用機）も出番を待つ。残り57機とはいえ、松広さんの空港通いはまだまだ続きそうだ。

■松広さんが未撮影の機体
（2022年末現在。登録抹消済みの機体は除く）

解体されるなどして失われた機体を除き、2022年末現在で松広さんが未撮影の747は57機。その中には籍だけは残っていても、実際には砂漠で部品取りにされていたり、飛行可能な機体であっても撮影しにくい政府機が何機もあったりといった具合に、なかなか道のりは険しそうだ。

登録記号	ラインナンバー	所属	型式
EP-CQB	19667	イラン空軍	Boeing 747-131(SF)
5-8108	19669	イラン空軍	Boeing 747-131(SF)
EP-NHT	19678	イラン空軍	Boeing 747-131(SF)
EP-CQB	20080	イラン空軍	Boeing 747-131(SF)
5-8105	20081	イラン空軍	Boeing 747-131(SF)
5-8107	20082	イラン空軍	Boeing 747-131F
5U-ACE	20527	ロジスティックエア	Boeing 747-230B
5-8106	21180	イラン空軍	Boeing 747-270C
YI-AGO	21181	イラク航空	Boeing 747-270C
XT-DMK	21316	カラット・エルサカール・エア	Boeing 747-212B
EP-SIH	21486	サハ・エアラインズ	Boeing 747-2J9F
EP-CQA	21507	イラン空軍	Boeing 747-2J9F
4X-ICM	21965	CALカーゴエアラインズ	Boeing 747-271C
HZ-AIA	22498	サウジアラビア航空	Boeing 747-168B
HZ-AID	22501	サウジアラビア航空	Boeing 747-168B
HZ-AIE	22502	サウジアラビア航空	Boeing 747-168B
HZ-AIG	22747	サウジアラビア航空	Boeing 747-168B
B-2462	24960	ユニトップエアラインズ	Boeing 747-2J6F
TF-AMB	28263	サハ・エアラインズ	Boeing 747-412F
4X-ELD	29328	エルアル・イスラエル航空	Boeing 747-458
TF-AAH	29901	エア・アトランタ・アイスランディック	Boeing 747-4H6
A4O-OMN	32445	オマーン・ロイヤル・フライト	Boeing 747-430
B-2473	32803	SFエアラインズ	Boeing 747-41BF
B-2461	32804	中国南方航空	Boeing 747-41BF
9H-AZA	32871	サウジアラビア航空	Boeing 747-428
OO-ACF	35169	チャレンジエアラインズ	Boeing 747-4EVERF
4X-ICA	35172	CALカーゴエアラインズ	Boeing 747-4EVERF
A7-HBJ	37075	カタール・アミリ・フライト	Boeing 747-8KB(BBJ)
LX-ECV	37303	カーゴルックス	Boeing 747-4HQERF
CN-MBH	37500	モロッコ政府	Boeing 747-8Z5(BBJ)
A7-HHF	37501	カタール・アミリ・フライト	Boeing 747-8Z5(BBJ)
OE-LFC	37562	エアベルギー	Boeing 747-87UF
OE-LFD	37563	ホンユエン・グループ	Boeing 747-87UF
N850GT	37570	アトラス航空	Boeing 747-87UF
SU-EGY	37826	エジプト政府	Boeing 747-830
9K-GAA	38636	クウェート政府	Boeing 747-8JK(BBJ)
A4O-HMS	39749	オマーン・ロイヤル・フライト	Boeing 747-8JA(BBJ)
N458BJ	40065	ボーイング	Boeing 747-8JA(BBJ)
V8-BKH	41060	ブルネイ政府	Boeing 747-8LQ(BBJ)
B-2485	41191	中国国際航空	Boeing 747-89L
B-2486	41192	中国国際航空	Boeing 747-89L
B-2479	41193	中国国際航空	Boeing 747-89L
N894BA	42416	アメリカ空軍	Boeing 747-85M
N895BA	42417	アメリカ空軍	Boeing 747-85M
B-2487	44932	中国国際航空	Boeing 747-89L
B-2482	44933	中国国際航空	Boeing 747-89L
N859GT	62441	アトラス航空	Boeing 747-867F
N610UP	64256	UPS	Boeing 747-8F
N613UP	64259	UPS	Boeing 747-8F
N614UP	64260	UPS	Boeing 747-8F
N632UP	65775	UPS	Boeing 747-8F
N631UP	65776	UPS	Boeing 747-8F
N629UP	65778	UPS	Boeing 747-8F
N621UP	65785	UPS	Boeing 747-8F
N861GT	67148	アトラス航空	Boeing 747-8F
N862GT	67149	アトラス航空	Boeing 747-8F
N863GT	67150	アトラス航空	Boeing 747-8F

ライバル対決
名旅客機列伝1

超大型四発機
ボーイング747
旅客機の常識を変えた！ VS 巨人機時代の栄光と終焉
エアバスA380

2023年3月15日 初版第1刷発行

発行人　山手章弘
発行所　イカロス出版株式会社
　　　　©IKAROS PUBLICATIONS,Ltd. All rights reserved.

　　　　〒101-0051 東京都千代田区神田神保町1-105
出版営業部　　TEL:03-6837-4661
　　　　　　　E-mail:sales@ikaros.co.jp
編集部　　　　E-mail:koku-ryoko@ikaros.co.jp
　　　　URL https://www.ikaros.jp

印刷所　図書印刷株式会社
Printed in Japan

ISBN978-4-8022-1261-8